KB172028

직립보행 人

직립보행 人

지은이 여량

발 행 2024년 8월 26일
펴낸이 한건희
펴낸곳 주식회사 부크크
출판사등록 2014.07.15.(제2014-16호)
주 소 서울특별시 금천구 가산디지털1로 119 SK트윈타워 A동 305호
전 화 1670-8316
이메일 info@bookk.co.kr

ISBN 979-11-419-0210-0

www.bookk.co.kr

직립보행 人

여량

BOOKK

차례

프롤로그

글을 쓰기 전에 책을 읽게 된 계기가 먼저일듯하다.

참고로 나는 책과는 담을 쌓은 사람이다. 물론 지금도 그러하지만 말이다. 지금이 이천이십삼 년이니까, 아마도 내 기억엔 작년, 혹은 재작년인 것 같다. 어느 날부터인가 엄마가 지하철 역사 내(內) 작은 도서관에서 책을 한 권, 또 한 권 빌려 읽으셨다. 신분증만 지참하면 무료이니 운동 삼아, 마실 삼아 그렇게 말이다.

연세도 있으시고, 소일거리로 독서하시는 게 괜찮은 취미인 것 같아, 그러려니 했다. 문제는 그다음부터인데 틈만 나면,

"이것 좀 읽어봐라, 내용이 참 재미있다."

라는 말로 시작해서, 식사 시간은 점점 늦어졌고, 집안은 커피 냄새만 가득했다.

커피는 가끔 내가 타기도 한다. 믹스커피 대신 커피만 두 스푼 머그컵에 덜어 넣고 포트에서 뜨거운 물을 적당량 넣고, 냉동고 얼음 몇 개 넣으면 그냥저냥 마실 만하니까 말이다.

참고로 아버지는 엄마보다 더한 다독(多讀)을 하셨다. 어릴 적 책장에 <조선왕조 500년> 전권과 한문으로 된 수많은 서적들, 소설, 국어사전 전권 등등. 파이프 담배에 담뱃잎을 천천히 말아 뻑뻑 태우시며 큰 돋보기로 책을 한 글자, 한 글자, 탐독하시고, 피곤하시면 목침을 비스듬히 베고 누우시면서도, 손에서 책은 놓지 않으셨다.

"다 때가 있다. 강태공이 곧은 낚시를 하는 이유가…"

어린 시절 내 기억 속 아버지의 모습이다. 엄마는 말없이 식사와 숭늉을 준비하셨고, 잠시 시간이 흐르면 커피도 준비하셨다. 그 시절 우리네 엄마들은 다 그랬다.

그랬던 엄마가 어느덧 이 년 새 대략 700여권의 책을 읽고 계시니 말 그대로 부창부수(夫唱婦隨)인듯하다.

여름이다.

일이 있으면 일을 하고 일이 없으면 일을 안 하는, 당연한 생활을 이십여 년째 이어가던 평범한 어느 날, 활짝 열린 창문 사이로 매미 새끼들이 쉴 새 없이 떠들던 그때, 스르륵 내 방문이 열리면서 향긋한 커피향이 들어왔다.

커피 전문점 만큼 향긋하겠냐만, 덥고 시끄럽고 잠과 씨름하는 나에게 어떤 의미로든 퀴퀴한 한량의 방보단 향긋한 느낌이었다.

한 손에는, 머그컵에 가득 담긴 아이스 아메리카노, 물론 서두에서 이야기한 것처럼 커피만 넣고 약간의 뜨거운 물로 커피 알갱이를 녹이고 그 위에 얼음을 몇 개 띄운 아이스 아메리카노였다. 그리고 엄마의 다른 한 손엔 책이 들려 있었다.

"아들아, 이것 좀 읽어봐라, 너랑 비슷한 일을 하는 사람이 쓴 책인데, 너한테 도움이 될 거 같다."

"엄마, 그거 다 쓰레기야, 남 얘기를 내가 왜 읽어야 돼? 먹물

새끼들, 지들 잘 났다고, 지껄이는 거, 그냥 자는 게 낫지."
"만 원 줄게."

일분일초의 망설임도 없이 내 대답은 쏜살같았다.

"그래."

슬슬 자세를 잡았다.
아니 자세랄 것도 없다. 편안히 늘상 누워 있던 자세에서 책만 한 권 턱 한 손에 올려놓으면 그걸로 충분했으니 말이다. 물론 적갈색을 살짝 띤 오동나무 목침이 있고, 어디 있는지 모르겠지만 분명 엄마가 사줬던 담배 파이프도 있고, 양키시장에서 산 두세 종류의 잘 마른 담뱃잎이 있다면 더할 나위 없겠지만, 인간은 순응의 동물이다.

억지로 읽었다. 책 읽는 게 이렇게 힘든 일일 줄이야. 정말 재미라곤 어디 찾아보려야 찾아볼 수 없을 만큼 무료한 시간이었다. 인문학적 소양이 부족하고, 식견(識見)이 부족한 나를 먼저 탓해야 하는 게 당연지사(當然之事)지만, 이쯤에서 드는 생각이 엄마하고 나하고는 확실히 재미 포인트가 다르다. 물론 다 읽지 않고 다 읽었다고, 뻥을 칠 수도 있겠지만, 그건 좀 추잡스러운 거 같다.

잠시 예전으로 가보면, 아마 국민(초등)학교 1학년쯤일 때다. 구구단은 뗐고, 숙제는 나름 많았던 기억이 있다.

숙제는 웬만하면 학교가 끝나고 교실에서 몇몇 친구들끼리 남아서 다 마무리를 하려는 성격이었는데, 간혹 가다가 공부 좀 하는 친구 놈이 학원 간다, 외식이다, 그러면, 마무리를 못하고 집으로 가져오는 경우가 종종 있었다.

지금이야 방과후 학교니, 학원이니 하지만 그때의 우리는 학교가 끝나면 자유였다. 그 자유 시간에 학교 운동장이든 집 앞 골목길이든 우리는 비석치기, 오징어, 구슬치기, 딱지치기, 말뚝박기 등 드라마 '오징어 게임'에서 나왔던 게임을 실제로 하면서 놀았다.

가끔 '아다리'가 잘 맞아서 친구 집이 비기라도 하는 날엔 여지없이 'AFKN'을 보았다. 리모컨도 없이 이리저리 로터리 스위치를 돌리다 보면, 농구(NBA) 끝나고, 시작하는 프로레슬링(지금은 WWE지만 그때는 WWF였다.)이 하곤 했는데 그것을 보고 있노라면 세상을 다 가진 듯이 행복했다.

물론 큰 솥에 라면도 끓여 먹으며 말이다. 세 살 버릇이 여든까지 간다고 하는데, 실제로 나는 대학을 다닐 때까지 WWF 광팬이었다. 슈퍼스타들의 메인 테마곡을 CD에 잘 구워서 듣고 다닐 정도였으니 말이다.

'이다음에 성공해서 꼭 미국 가서 WWF 봐야지.' 라고 다짐했을 정도였다. 지금은 유치해서 안 보지만 우연찮게 리모컨을 돌리다가 나오면 힐끗 보고 다시금 채널을 돌린다. 내가 나이를 먹은 건지, 그 시절 그 낭만이 안 보이는 건지...

그렇게 신선놀음에 도끼 자루 썩는 줄 모르고 놀다 보면 어느새 한 놈 두 놈, 사라진다.

골목길 굽이굽이 아이들을 찾는 목소리가 들린다.

"아무개야, 밥 먹어."

그럼 그제서야 나도 주섬주섬 책가방을 챙겨 일어난다.

이제 재혁이 부모님이 오실 때다. 재혁이 부모님은 시장에서 생선을 파셨다. 리어카에 생선을 가득 싣고 오토바이에 리어카 손잡이를 단단히 고정해서, 새벽부터 이른 저녁까지 그렇게 두 분이 일을 하셨다.

"나도 갈게, 학교에서 보자, 일곱 시에 보자, 축구해야지?"

"어."

"아침에 집으로 갈게."

지금은 어디서 무얼 하며 살고 있는지, 전혀 소식을 알 수 없지만, 내 국민학교 시절을 추억하다 보면 재혁이가 많이 생각난다.
우리 집, 아니 우리가 세 들어 살던 철제 대문은 잘 닫히지 않았다. 늘상 반쯤 열려 있었고, 그 반쯤 열린 대문 사이로 정면에 보이는 주인집과 마당 구석진 곳에 마중물이 있었다. 대충 씻고, 잠들기 전 머리맡에 교과서랑 공책(노트)을 펼쳐 놓았다. 공책 제일 윗줄에

"엄마, 여기 1단원부터 2단원까지 문제 풀어야 돼, 숙제."

연필로 한 줄 적어놓는다.
자고 일어나면 숙제는 대충 풀어져 있었고, 엄마는 보이지 않았

다. 반쯤 열려있던 철제 대문은 가끔 잠겨 있었고, 나와 내 동생은 아주 가끔 둘이서 집 앞 골목길에서 엄마를 기다리며 놀았다. 나는 여덟 살이었고, 동생은 일곱 살이었다.

엄마는 아침부터 저녁 늦게까지 일을 하셔야 했고, 학교 도시락은 점심시간에 맞춰서 학교 후문 담 넘어로 엄마가 매번 가져다 주셨다. 아버지는 우리와 떨어져 계셨고, 나와 여섯 살 차이나는 형은 잘 기억이 나지 않지만 가끔 수제비를 끓여주곤 했다.
그때 먹었던 수제비가 지금도 가끔 생각난다.

한 살 아래 여동생은 공부가 제일 재미있다고 했다. 나는 왜 재미있는지 도저히 이해할 수 없었고 그저 빨리 어른이 됐으면 했다. 세상의 시간은 나와는 그 어떠한 상의도 없이 흘렀고, 나는 어른이 되었다. 좋은 어른인지, 한심한 어른인지 모르겠지만 말이다.

오늘도 나는 커피를 탔다. 한시적이지만 십수 년 만에 출근이라는 걸 해보는 터라, 왕복 칠십 킬로미터 운전을 하다보면 가끔 목이 마르기도 하거니와 오늘도 다섯 권의 책을 빌린 엄마 때문이기도 하다. 물론 나도 시간이 걸리지만 천천히 읽어 볼 생각이다. 암묵적인 선을 지키려 노력이라도 해봐야겠다. 엄마와 내가 재미 포인트가 가까워 질수 있도록 말이다.

어린 시절 내 머리맡에 국어 숙제, 산수 숙제를 풀어주던 엄마는 그때 그 숙제가 재미있었을까?

이 정도 내용을 정리해서 쓰는 데까지 대략 네 시간이 걸렸다. 공부는 엉덩이 힘으로 한다고 하는데, 나는 지금 엉덩이 힘보다 스트레칭이 더 필요할 것 같다. 독서도 안 하는 놈이 글이라니…

나의 글은 이율배반적이며 중의적이고, 그러면서도 창의적이진 않을 것이다. 창작이라곤 눈곱만큼도 없을 것이며, 간혹 '시적허용'이나 '언어유희'가 등장한다면 그것은 의도 되지 않은 것이다. 직관적이며 두루뭉술할 것이고, 시·공간의 흐름도 제멋대로 일 것이다. 책의 두께는 100페이지를 넘지 않을 것이고, 읽고 나면 시간의 소중함을 알게 될 것이다.

또, 혹시 아는가? 만 원이 생길지!

적어도 먹물 흉내는 내지 않을 것이며, 가끔은 투박하기도 할 것이다.

특정 상품을 홍보하고 싶지는 않지만 면발이 두꺼운 라면이 있다. 다른 라면과 달리 그건 좀 오래 끓여야 한다. 일요일이면 끓인 물을 버리고, 검은색 스프를 넣고 비비는 라면도 있고, 빨간색 스프를 넣고, 기호에 따라 오이를 채 썰고 삶은 계란 하나를 올려서 비벼 먹는 라면도 있다.

라면조차도 조리법이 이렇게 다른데, 세상은 우리가 똑같이 조리 되기를 원하고 있는 것 같다. 삶은 계란이 아닌데 말이다.

나와 같은 언어를 사용하고, 검은 머리에 직립보행을 하지만, 권력을 사유화하고, 노력한 것에 비해 많은 것을 탐하고, 시기와 부정을 일삼는, 부끄러움을 모르는 고약한 불량품들이 고통받는 세상이 되길 바라며...

"빌드 업은 시작 됐다."

제1장 이해와 인정의 차이

일 년에 한두 번 아주 가끔 만나는 형이 있다. 대구 출신이고 사투리를 잘 쓰지는 않는 거 같은데 억양에서 경상도 사투리가 느껴지긴 한다. 언제나 연락은 목마른 놈이 하는데, 그 목마른 놈은 나였다.

그 형 사무실이 홍대, 합정 근처라 우리의 만남은 주로 그 언저리다. 남자 둘이 커피는 사치라 1차는 언제나 소주다. 루틴은 아니지만 으레 이어지는 형의 인사말

"안주 좀 먹어라, 속 다 버린 다."

언제, 어딜 가든 상대가 누구든 내 앞에 앉아 술잔을 기울이는 모든 이들이 공통적으로 내게 하는 말이다.

"예, 요새는 어떠세요?"

"나야 뭐, 늘상. 너는?"

"저야 뭐, 늘상."

"그러니까, 글을 쓰라니까, 얼마나 좋아, 컴퓨터만 있으면,
돈 안 들이고 돈 벌 수 있는 제일 좋은 게 글 쓰는 거야,

내가 너보다 어릴 때, 애는 있지, 일은 안 되지,
pc방 알바하면서, 글 썼다.

그때 그게 나한테는 최선이었다."

십 년째 이어지는 똑같은 인사말의 주인공은 현역 드라마 작가다. 내가 드라마 조감독할 때 만났던 형이었는데, 가끔 목마른 놈 전화 한 통에 내 술잔을 채워주는 형이다.

지금의 글은 극본, 시나리오를 말하는 거다.

일기도 제대로 써 본 적 없는 나한테 글을 써보란다.

물론 일을 하면서 글이라고 하기에는 민망하지만, 카피 문구를 써본 적은 꽤 있다. 공익광고를 십여 년 연출하면서 써봤던 카피 문구 말이다.

공익적인 일을 독려하지만, 전혀 공익적인 삶을 지향하지 않는, 직립보행人은, 듣기 좋은 말, 예쁜 말, 현실에 전혀 도움이 안 되는, 응원을 빙자한,

"이 캠페인은 당신을 응원합니다."

습관적인지, 관용적 인지, 항상 40초 영상 말미는 이런 식으로 마무리됐다.

신인 작가 드라마 단막 공모전에 출품을 해 본적도 있다. 영화제 시나리오 공모전도 마찬가지다. 결과는 또다시 '쌀벌레' 같다.

이 형이 어떤 라면을 좋아하는지 모르겠지만 내 주변에 몇 안 되는 창작의 고통을 뼈저리게 느끼며 건강히 살아가는 직립보행人이다.

술이 아직 안 깼나? 집에 들어와 보니 문득 생각이 난다.

"형? 아까, 그 책, 작가 누구라고 했죠?"

"무라카미 하루키, 바람의 노래를 들어라!"

갑자기 읽어보고 싶어졌다. 그래서 읽어봤다. 책의 내용은 난해했지만 내 마음에 들었던 건 딱 두 가지.

책의 두께, 그리고 글을 쓰는 방법. 그래서 써보기로 했다. 보기 좋게 생색만 내는 캠페인이 아닌, 내 글을…

이 글이 일기가 될지, 에세이가 될지, 그건 내 알바가 아니다. 나는 그냥 한 번 써보기로 했다.

참고로 A4용지 한 장의 무게가 대략 5g이라고 한다. 가설이지만 영혼의 무게는 21g이라고 한다.

텍스트(활자)의 무게가 얼마나 될지는 모르겠지만, 적어도 5g의 무게 위에 꾹꾹 담아 보려 한다.

어떻게 살아왔는지에 대한 이야기가 아닌,

앞으로

어떻게

죽어가야 하는지에 대한 이야기를…

전국이 빨간 물결이었다.

전 세계가 놀랐고, 모든 이들이 '꿈은 이루어진다'라며 거리로 나왔다. 그때는 층간소음도 이해가 됐고, 거리의 차 경적 소리도 이해가 됐다.

나는 직장생활을 하고 있었다.
매일 똑같이 반복되는 하루, 별다른 일 없이 그저 그런 시간을 보내고 있었다. 물론 그 일을 폄훼하거나 얕잡아 본다는 뜻은 아니다. 단지 나와는 잘 안 맞는 것 같았다.

같은 과 친구 두 명과 함께 취업한 곳은 주간 근무, 야간 근무, 하루 당직 후 휴무 형태로 24시간 근무를 해야 하는 곳이었다. 학업 성적도 좋았고, 나름 공부를 더 하고 싶었던 두 친구는 야간 산업대 편입을 했지만, 나는 편입을 하지 않았다.

공부에 별 흥미도 없고 관심도 없던, 핑계지만 나까지 근무를 빠지게 되면 근무 인원 부족으로 사무실 운영이 안 될 상황이기도 했다.

다시 '2002월드컵' 이야기다. 그때도 그렇고 지금도 그렇고, 무슨 영화 제목 같지만, 이해가 안 되는 부분이 4강전 독일 경기 관중석에 등장한 '꿈은 이루어진다.'라던 피켓이다.

꿈은 인생 최종의 결과물 아닌가?
목적은 월드컵 첫 승이었고, 목표는 16강 진출 아니었나?

나는 '꿈은 이루어지지 않는다'고 생각하는 사람이다.

우리에게 월드컵 4강, 혹은 우승이 결코 꿈이 되어서는 안 된다고 생각한다. 어디까지나 목적, 혹은 목표가 되어야 했다고 생각한다.

우리는 가끔 목표, 목적을 꿈과 혼용(混用) 하는 것 같다.

좋은 대학을 가고 대기업에 입사를 하는 게 꿈이라고, 그리고 그걸 강요하는 사회, 진짜 꿈이 뭔데, 정작 꿈을 이루었다고 떠들어 대는 사람들, 그 사람들은 목적을 이룬 게 아닌가? 진짜 꿈을 만나본 사람이 있나?

허울 좋은 개소리다.

왜냐고?

꿈은 본인만이 아는 것이고 누구와도 공유될 수 없으며, 어찌 보면 한낱 허상일 수도 있기 때문이다.

만약 투자 대비 좋은 상품이 있다면, 당신은 그걸 남과 나눌 수 있나?

오롯이 다른 누군가를 본연 그대로 존중하고 배려하며 그 사람의 선택을 이해할 수 있나? 내 이익이 줄어들 텐데?

인간의 속성은 똑같고 세상에 공짜는 없다. 엄마가 해주는 밥도 언젠가 갚아야 한다. 같은 피를 나눈 형제끼리도 다툼이 있고, 같은 민족끼리도 다툼이 있는데, 어찌, 서로 다른 사람들의 꿈이 같을 수 있나? 그리고 왜 같아야 하나?

목적과 목표를 꿈이라고 혼동하지 말고, 강요하지도 말자. 진짜 꿈을 아는 사람은 꿈 이야기를 하지도 않을 것이며 지금도 어디선가 묵묵히 자기 목적과 목표를 위해 잠을 줄이고 있을 것이다.

꿈을 이루기 위해, 꿈꿀 시간을 줄이고 있다. 돈 꾸러 다니듯, 꿈꾸러 다니지 말자. 당신의 꿈은 당신 혼자만 고이 꾸기를 바란다.

같은 맥락일진 모르겠으나 누군가 나에게 묻는다.

"너 예술하냐?"

나는 도저히 예술이 뭔지 모르겠는데, 아주 간혹 듣는 얘기다. 그런데 그런 말을 하는 대다수의 사람들이 말하길, 캔버스에 점하나 찍혀 있는 걸 예술이란다,

웹툰 만화작가보다 못 그린 것 같은데. 또 그로테스크한 조형물들은 어떤가? 공고생들의 실습 용접보다 못 한 것 같은데.

예전부터 예술을 하면 배곯는다고 했다. 돈벌이가 시원찮으니 하는 말인데, 그 말뜻만 보면 나는 예술을 했던 게 맞는 거 같다. 엄밀히 말하면 곯지는 않았고, 속이 썩어 곪았다. 헌데, 현실적으로 내가 생각하는 예술은, 만취 후 다음 날 시원하게 끓여진 간이 칼칼한 해장국이 첫 번째고, 브라질 축구가 그 두 번째, 낙조(落照)를 즐기며 마시는 술이 세 번째다.

즉, 내가 편안하고 생각이 나고 즐거우면 그게 나한테는 작품이자 예술이다. 혹자는 예술에 관해 궁금한 점이 있으면 책을 읽어보라고 하기도 하지만 말이다.

기존 작업물들과 변별력을 추구하려는 내 성향은 고집이 되었다. 내 인건비는 항상 마지막이었으며, 내 책임 소재와는 별개의 문제도 책임을 져야 하는 모습(가오)은 내가 원한 게 아니다.

내가 원하든 원하지 않든 책임지기 싫어서 최선을 다한 작금의 나는 젠틀한 개털이 되었다.

이쯤에서 당신은 에세이를 빙자한 이 투정어린 일기가 이해가 되나? 아니면 인정이 되나? 이도 저도 아니면 그냥 필자(筆者)의 반성문이라, 재단(裁斷)하는 게 편할 수도 있다. 사실이 그러하니 말이다.

나는 그 사소한 차이를 구분하지도 못하면서 시답잖은 개똥철학을 5g의 무게 위에 담아놓고 있다. 시간의 무게도 모르는 내가 말이다.

앞으로도 이 시답잖은 이야기는 꽤 진행이 될 텐데, 시간을 아끼고 싶다면 지금이라도 이 책을 덮기를 바란다.

바람 맞기 좋은 날, 창문 넘어 불어오는 바람은 시원하기도 하지만 책상 위에 흰색이면서도 까만 담뱃재는 내가 인정할 부분이다. 금연은 꿈도 안 꾸면서 말이다.

누군가 나에게

"그럼, 당신 꿈은 뭐요?"

하고 물으면 말해주고 싶다.

"내가 언제, 어떻게, 어떤 모습으로 죽는지 아는 게 내 꿈이오."

가끔 결과를 알고 보는 영화도 그 나름의 재미가 있다. 캐릭터의 입장에서 왜 그렇게 행동했을까, 하면서 바라보면 전혀 다른 관점이 생기기도 하기 때문이다.

2003년 겨울, 먼저 서울로 올라간 친구 녀석에게 전화가 왔다. 대전에서 일 다 정리했으면 올라오라는 전화였다. 다니던 회사에 사표를 내고 아무 연고도 없는 서울로 향했다.

이것저것 정리를 하고 나니 수중에 남는 돈은 오만 원. 무궁화호 기차를 타고 서울역에서 내리니 그나마 몇 달이라도 먼저 서울에 올라왔던 친구가 차를 가지고 마중을 나왔다. 대전 촌놈들이 서울에서 첫 만남을 가졌다.

"서울에서 어디 가보고 싶었냐?"

"드라마 보면 한강 많이 나오던데, 거기나 한 번 가보자."

상호 동의하에 우리는 한강을 찾았다. 그땐 몰랐다. 한강이 그렇게 크고 넓은지, 내려가는 입구를 못 찾은 우리는 혹독한 서울의 겨울바람만 제대로 느꼈다.

친구의 아버지는 대전에서 건설업을 하셨었다. 사업 실패 후 서울에서 노가다 '십장'을 하고 계셨는데, 친구 녀석은 공무원 준비를 한다고 나보다 몇 개월 서울에 올라와 있던 터였다.

며칠이나 됐을까?

새벽부터 친구 아버지를 따라 노가다 판을 기웃거리던 내게

"저녁에 헬스장이나 다니자, 체력 훈련해야 돼서."

그게 할 소린가? 뼈마디마다 안 쑤시는 데가 없는데, 새벽부터 말 그대로 노동을 하고 온 내게 헬스? 물론 노동과 운동은 다른 개념이지만 그래도 피곤한 건 사실이었다.

친구를 소개 받았다. 역곡에서 2층집 전세 자취를 하고 있던 친군데, 내 친구하고는 해병대 동기라고 했다. 우리 셋은 자주 역곡 자취방에 모였다.

젊고, 백수에, 체력도 되니 하는 일이라곤 진탕 퍼마시고, 서로 뭘 해먹고 살지에 관한 이야기였다. 아래층 주인집 사장님이 왕왕(往往) 올라오셨다. 거실은 난장판이었고 화장실 변기는 뽑혀 있었고, 암튼 꽤 시끌벅적하게 놀았기 때문이다.

꽃샘추위가 상당했다.
어김없이 오늘도 퇴근 후 헬스장으로 향했다.
확실히 노동과 운동은 다른 게 느껴진다.

어느 날 친구 아버님과 식사 자리 중 아버님 曰,

"그런데 아들친구야, 넌 서울에 왜 왔니?"
"저, 영상 일을 좀 해보려고요."

"그런데 여기서 지금 뭘 하고 있니?"
순간 멍했다. 내가 서울엘 왜 왔지?

잠시나마 내 목적을 잊은 거 같았다.

그 길로 인크루트 사이트에 이력서를 넣었다.

그렇게 해서 찾은 첫 영상인으로의 직장이 드라마 외주 조명 아르바이트였다.

사극은 주로 문경에서 촬영했다. 출근 시간은 있는데, 퇴근 시간이 없는, 상당히 고된 일이었다. 아침 6시 집합에 뛰어다니는 건 기본이고, 조명기가 그렇게 무거운지도 몰랐다.

나름 육군 병장 만기 전역에 보직은 81미리 박격포를 했는데 말이다. 아마도 그곳의 지리도, 장비도, 용어도, 사용법도 몰랐던 내게는 더, 그러했을 것이다.

발 전차에서 지선을 끌고 조명 장비를 세팅하면 내 또래로 보이는 한 놈이 슬그머니 나타나 어깨에 메고 있던 삼바리 같은 걸 바닥에 내려놓고 후다닥 카메라 앞으로 뛰어나가 뒷주머니에서 허여멀건 종이 같은 걸 대고는 카메라 뒤로 쑤욱 빠지는 거다.

지금이야 그게 뭘 하는지 잘 알지만 그땐 그게 그렇게 신기하기도 하고 편해 보였다. 무엇보다 어깨에 메고 다니는 트라이포드가 가벼워 보였다.

'근데 왜 다 트라이포드는 같은 색일까? 노랗고, 빨갛고 뭐 좀 그렇게 컬러풀하게 만들면 안 되는 걸까?'

그래서 그걸 해보기로 했다.

조명 아르바이트에서 카메라 어시스트로 ...

대방역 근처 옥탑에 방을 얻었다.

TV 드라마, 영화에서 나오는 그런 낭만은 없다. 여름은 미친 듯이 덥고 겨울은 더 미친 듯 춥다. 카메라에 담기는 청춘은 대부분 여름, 그리고 옥탑이 배경이 되는데, 좀 더 현실적인 청춘은 반지하의 겨울이다. 씁쓸하지만 내가 느끼기엔 그렇다.

보도국 카메라 어시스트 생활을 시작했다. 그때 정확한 직책은 오디오맨, 헌데 오디오에 관한 건 거의 하지 않고 카메라 선배 기자들과 취재 현장을 다니며 보조를 하는 일이었다. 주 업무는 배터리 체크 테이프교체.

가끔 운이 좋으면 선배들이 카메라를 한 번씩 넘겨 주기도 하고, 편집실에서 같이 편집을 해보기도 했다. 별거 아닌 것 같지만, 나름 그 시절, 그 세계에서는 상상하기 힘든 일이기도 했다.

월급은 기본급에 야간 수당이 좀 붙는데, 백만 원 초반이었다. 사무실엔 나와 비슷한 또래 친구들이 많았다. 한두 살 차이부터 두세 살 차이나는 형들까지.

대방역 근처 옥탑방은 언제나 우리의 아지트였고, 그 아지트는 연중무휴였다. 한 번도 방문을 잠그고 다닌 적이 없었는데 더 정확히 말하면 열쇠도 없었다.

그렇게 2년의 시간이 흘렀고, 파견직으로 먼저 입사했던 친구들이 퇴사하기 시작했고, 내 차례 쯤,

나름 나를 괜찮게 본 선배 曰,

"회사 공채 한 번 볼래? 4년제 졸업했지?"

대전 직장에서 두 친구가 먼저 다녔던 학교에 편입이 됐다. 물론 등록을 하진 않았다. 졸업장을 따서, 공채 시험에 붙는다는 보장도 없었고, 다시 대전으로 내려가 모든 걸 또 새롭게 시작하기엔 뭔가 우울했다. 선택의 시간이 왔고, 내 선택은 여의도였다.

이 선택은 잘못된 선택이었다.

출근 시간은 있는데, 퇴근 시간은 없는 일과가 다시 시작되었다. 월급은 더 줄었고, 선배 카메라 감독들은 입이 거칠었다. 진짜 오만 원만, 십만 원만 더 받을 수 있으면 행복할 것 같은 시절이었다.

군대에서 이등병 때나 맞던 조인트가 그곳에선 일상이었다. 진부한 표현이지만 그들 입은 걸레를 물었고, 그 작은 프로덕션은 그들만의 왕국이었다.

쌍소리에 발길질, 박봉에 잠도 못 자던 시절, 그렇게 배웠기에, 본전 생각이 나서 후배에게 그러는 사람은 백번 천번 양보해서 어느 정도 이해를 할 수는 있을 거 같다. 물론 나도 90년대 학번이고, 90년대 군 생활을 했기에 구타와 폭언은 시나브로 당연시 여겼을지도 모른다.

그러던 스물아홉 12월의 마지막 날.

서울 모 유명호텔에서 연말 행사가 있었다. 지금은 활동을 거의 하지 않지만 당시에는 유명했던 어느 개그맨이 사회를 봤다. '셀럽'이라는 말이 지금은 흔하지만, 그때에는 뭘 하는지도 모르겠는 이삼십 대 초반의 사람들이 모여 있던 그 자리.

은은한 조명에 음악 소리가 거슬리지 않을 정도의 실내, 고급스러운 소파에, 화려한 샹들리. 방송도 아니고, 중계도 아닌 모호한 그 자리에 나는 솜이 두툼한 점퍼를 입고 땀을 흘리며 뛰어다니고 있었다.

그 사람들과 나는 분명히 달랐다. 나이대가 비슷하다는 것만 빼고는 말이다.

한겨울에 두툼한 점퍼를 입고 땀을 흘리는 내 모습과, 한여름을 연상케 할 정도로 가벼운 그 사람들의 의상이 일차원적인 대비를 이뤘고, 큰 솥에 라면 물이 끓기를 기다리며 WWF 슈퍼스타를 기대하는 철없는 모습과, 샹들리에 조명 아래에서 와인을 즐기는 모습이 달랐다.

이미 무언가를 다 이룬 듯, 그 표정이 달랐고, 그 시간을 즐기는 여유가 달랐다. 나와 비슷한 나이지만 모든 게 달랐다.

그날 다짐했다.

서른아홉이 지나는 마지막 날, 나도 내 인생의 여유를 즐겨보리라. 그래서 지금의 이런 노동은 값진 것이며, 당연한 일이기에 더 열심히 살겠다고 말이다.

이십 대의 마지막 밤은 그렇게 지나갔고, 열흘만의 단잠에 취해 있었다. 새벽부터 선배 카메라 감독의 전화가 울린다.

"야, 이 개새끼야, 너 뭔데, 아직 출근을 안 하고 있어?"

전후 사정 아무 맥락 없이 어른이라는 사람, 선배라는 사람의 행태였다.

"저, 어제 쉬라고 하셨는데요...? 죄송합니다."

"내가 언제, 이 개새끼야, 빨리 튀어나와, 씨 발 놈 아"

"네, 죄송합니다."

전화를 끊고 일 분이나 지났을까? 다시 전화가 온다. 생각이 난 걸까? 조금은 나긋해진 분위기다. 물론 미안하단 말 한마디 없었다.

"아, 어제 내가 쉬라고 했구나, 쉬어라."

자괴감.

그 순간, 내 모습이 너무 초라해 보였다. 그 직립보행人에게 나는 후배도 아니었고, 시민도 아니었으며, 그냥 소모품이었다. 연말 행사에서의 내 다짐은 바뀌었다. 적어도 내가 입봉을 하게 되면, 적어도 내 현장에서만큼은 그런 직립보행人들을 배제하기로 말이다.

더불어 그런 식의 도제 행태를 경험하지도 않은 또 다른 직립보행人들의 행태 역시 말이다. 입에 걸레를 물진 않았고, 발길질을 하진 않지만, 사회정의가 어쩌고, 정치가 어쩌고 입으로만 떠들어 대는, 그러면서 뒤로는 리베이트를 당연시 여기는 것들. 그런 것들 역시 배제하기로 했다.

바퀴벌레나 쥐새끼나. 그 나물에 그 밥인 것들!

언어는 그 사람의 인성이라고 했던가? 그런 것들에게 한 마디 시원하게 해주고 싶다.

"에라이 #샤끼 들아!"

2000년대 초반까지만 해도 여의도를 대표하는 직업군들은 우스갯소리로 세 분류였다.

정장을 입고 출근을 하는 금융인.

언제 갈아입었는지도 모르는 옷차림에 부스스한 얼굴, 항상 뛰어다니는 누군가의 소중한 가족이며 어리디어린 열정 페이 소모품 인생들!

그리고 꽤 한심한 정치꾼들.

두 달 정도 엿 같은 여의도 생활을 마치고, 경기도에 있는 인터넷 신문사에 취직을 했다. 직원은 사장 한 명, 경리 한 명뿐인 곳이었다. 조촐한 분위기였지만 느낌은 싸했고, 싸한 예감은 틀리지 않았다.
면접 첫날 사장이 내게 '이사' 직함을 권했다. 나는 거절했고, 그냥 평기자로 시작을 했다. 점심은 주로 배달을 시켜 먹었는데, 어느 순간부터 그 여자 경리도 회사를 그만뒀다. 이유를 정확히 알 수는 없었으나 사실 관심도 없었다.

하는 일은 배너 광고를 만들고, 만들고, 만들고. 제작비 독촉 전화를 하고 인터넷 언론사 라벨이 붙어있는 캠을 들고 공사 현장 이곳저곳을 기웃거리는 일이 전부였다. 점점 시간이 또 아까워졌다.

출·퇴근이 멀다는 이유로 사장은 내게 내 명의로 차 한 대를 구매하라고 했다. 보험, 유류비 등은 회사에서 경비 처리를 해준다는 조건이었다.

결론은 났다.

내 사직서는 간단명료했고, 바로 실행으로 옮겼다. 사장실 안에 있는 큰 화이트 보드에 파란색 매직으로

"사표. 배울 게 없어서 그만둡니다."

라고 적고 나왔다.

성수동쯤인 것 같다.

그 프로덕션은 형식적이지만 부조 시스템도 갖추고 있고, 아주 어린 '히키코모리'한 내부 작가도 있고, 내부 피디도 있는 곳이었다. 연륜이 꽤나 있어 보이는 감독은 ENG 카메라를 메고 해외 유수의 산을 등반 해봤다고 한다.
드라마, 영화에서 봤던 것처럼 내공이 상당한 곳처럼 느껴졌다. 이제 뭔가 자리를 제대로 찾은 것 같은 기분이었지만, 그곳의 문

제는 의외로 작가였다.

남녀 갈라치기를 하려는 의도는 아니지만 감독과 동향(同鄕)이며, 성(姓)도 같았던 그 작가는 아주 히스테리했다. 반말도 아니고 존댓말도 아닌 이상한 외계어가 기본이었고, 본인이 작성한 구성안을 감독이 먼저 보기 전에 다른 직원이 보는 걸 극도로 싫어했다. 혹시 감독의 딸이 아닐까 할 정도로 그 히스테리 범주가 상당했고, 안하무인(眼下無人)이었다.

빗자루와 마대로 회사 바닥을 쓸고 닦고, 행주로 테이블을 훔치는 일과가 내 첫 업무의 시작이었다. 냉장고 안에 작은 음료들은 아침, 점심, 저녁으로 라벨이 붙어 있었는데, 대표 겸 감독은 아침, 점심, 저녁 매 끼니마다 마시는 음료가 달랐다. 그 음료를 준비하고 챙기는 일 역시, 내 업무의 일부였다. 내 연차가 벌써 4년 차가 넘어가고 있었는데 말이다.

로마에 가면 로마법을 따르는 게 인지상정(人之常情)이라 군말 없이 내 업무에 최선을 다했다.

지금 생각해 보면 거기서 밥을 먹었던 기억은 없는 거 같다. 근무를 짧게 한 이유도 있겠지만, 뭔지 모르게 그곳에 대한 기억이 많이 나지는 않는데, 언급을 하는 이유는.....

마음이 불편한 분들(지적장애)을 돌보는 수녀님들이 계신 곳이었는데(나름 그곳에서 교육을 받는 분들은 그나마 집안 형편이 나은 사람들이라고 했다.),

어떤 용도의 촬영인지도 알 수 없는 촬영을 마친 후, 어느 한 수녀님이 내게 하얀 현금 봉투를 건네 주셨다.

"감독님께 전해 주세요."

직접 전달을 하지 않는 이유도, 그리고 왜 통장이나 계산서가 아닌 현금을 주는지도 모르겠지만, 그 순간, 그 연륜 있어 보였던 감독도 그냥 #샤키로 보였다.

아, 짜증이 밀려온다. 급 피곤해 진다. 그만 두어야겠다.

그렇게 또 시간이…

그나마 나를 말린 건 또래였던 피디였다.

"여기서 조금만 노력하고 버티면, 내부 종편도 할 수 있고.

작가가 성격이 좀 그렇지만, 시간이 지나면 더…"

부조(종합편집, 송출을 하는 부조정실)는 나도 경험 해봤던 거고, 제목만 바꿔서 쓰는 구성안을 大문호(文豪)의 작품처럼 꼴 값 떠는 작가라는 사람도 그렇고, 그런 걸 다 보고 듣고 알고도 있으면서 아무 조치를 취하지 않는 늙은이도 그렇고...

그게 이유다. 그래서 그렇게 그곳을 마무리했다.

'개똥밭에 굴러도 이승이 좋다는데, 유유상종(類類相從)
제발 똥은 똥끼리 모여 있었으면.'

살면서 아니꼽고, 더럽고, 자존심 상하는 일은 누구한테나 일어

날 수 있는 일이다. 지금까지 일이 그렇다면 말이다.

나는 '자존심'이라는 말을 별로 좋아하지 않는다. 괜한 투정 같기도 하고 나르시시즘 같기도 하고, '불체포 면책특권'처럼 툭하면 튀어나오는 한심한 단어 같다. 적어도 나에게는 말이다.

대전에서 오만 원을 들고 서울로 상경한 그건 내 자존심이 아니라 '자부심'을 만들어 보고 싶어서였다. 그래서 좋은 어른이 되고 싶었다.

지금 생각해도 한심하지만 나는 좋은 어른이 되고 싶었다. 내가 원하든 원하지 않든, 살아가는 동안 나는 어른이 될 것이고, 좋고 나쁨의 기준은 주관적이지만, '촉법어른'이 되고 싶진 않았다.

그런 허울 좋은 망상(妄想) 아래 영원할 것만 같았던 이십대 (청춘) 시간은 진작에 죽었다.

이번엔 집에서 그렇게 멀지 않은 프로덕션에 취직했다. 지하철로 환승 없이 열 정거장 내외면 행복하지 않은가? 나름 서울 지리도, 방송 용어도 알게 됐으니, 전(前)프로덕션 때보다는 해볼만 했다.

가끔 드라마, 영화에서 프로덕션 배경으로 나오는 장면들이 있는데 현실과는 괴리감이 있는 모습으로 자주 그려진다.

인(in) 하우스, 정규직 공채의 삶을 사는 사람이 일당백, 잡초 같은 삶을 살아가는 사람들을 이해하기는 쉽지 않기 때문이다.

운전은 기본이고, 촬영부터 글도 써야 하고 청소는 아주 가끔 하겠지만 본인의 담당구역이 있으며, 늦은 점심은 일상이고, 후반 효과(에프터이팩트)까지 해야 한다. 물론 나는 잘 못하지만 말이다.

월급이 밀릴 때도 있고, 주말은 그냥 주말이다. 누군가에겐 흔하디흔한 얘기가 누군가에겐 흔하지 않은 얘기가 되기도 하는 곳! 외주 영상 프로덕션이다.

지하철로 환승 없이 열 정거장 거리의 프로덕션 출근 시간은 오전 9시까지였다. 그거 하나만으로 행복했다. 언제나 출근은 내가 제일 먼저 했다.

사무실 열쇠는 하나였다. 우편함을 뒤적이다 보면 손가락 끝에 딱딱하게 걸리는 쇳덩이가 있는데, 삼겹살집 화장실 열쇠처럼 노끈이 묶여 있던 그 쇳덩이가 사무실 열쇠였다. 문을 열고 나면, 현관문 우측 옆, 못이 걸린 자리에 그 열쇠를 걸어둔다.

누가 시킨 건 아니지만 눈에 보이는 간단한 사무실 정리를 하고 자리에 앉아 직원들을 기다린다. 사무실 직원은 사장과 총무 겸 안살림을 총괄하는 팀장 한 명, 작가 한 명, 그리고 촬영을 담당하는 나, 이렇게 넷이다.

사장은 행사 피디 출신이라고 했고, 팀장은 촬영에 관해서는 문외한(門外漢)이었으며, 이제 막 작가를 시작한 직원은 상대적으로 집이 멀었다. 이곳이 그나마 나에게 의미가 있었던 건, 나의 첫 프로그램(입봉)을 하게 된 곳이기 때문이다.

직접 프로그램을 맡아서 연출을 하게 되면 그걸 '입봉'이라고 하는데 그 첫 입봉 작을 여기서 하게 된 것이다. pd-150 카메라로 성형 프로그램과 교양 프로 비슷한 먹거리 탐방을 하는 프로그램 두 개를 맡아서 진행했다.

출근 조건은 9시 출근해서 오후 7시 퇴근, 급여는 일당으로 5만 원, 오후 10시가 넘어가면 7만 원이었고, 편집까지 하게 되면 10만 원이었다. 20세기 이야기가 아닌 21세기 이야기다.

가끔 차 없는 거리라고 해서 주말에 열리는 구민 노래 자랑 같은 걸 촬영하기도 했다.

제목만 바뀌는 똑같은 구성안은 이제 외울 정도가 됐다. 조수석 뒤쪽이 함몰되고, 내비게이션조차 없는 검은색 카니발도, 뷰파인더 안에 들어가 있는 개미도 견딜만했다.

문제는 시간이었다. 시간이 늘 턱 없이 부족했다. 5분 분량의 꼭지물이면 촬영을 5분만 하면 되는 줄 아는 사장의 마인드가 그러했고, 집이 멀다는 핑계로 구성안 회의는 해본 적이 없다는 작가의 어리광도 그러했다.

약속한 급여의 계산도 서로 달랐다. 월급이 밀리기 시작했고, 집에서 거리가 가까운 메리트 말고는 더 이상 남아 있을 이유가 없었다. 직립보행人들이 싫어지는 순간이었다.

정말 마지막이라고 생각하고 모든 걸 정리했다.

그러던 어느 날 친구의 연락을 받았다. 카메라 보조를 같이 시작했던 친구였는데, 카메라 감독의 어시스트가 필요하다는 전화였다.

대부분 입봉을 하고 나면 어시스트 업무를 하진 않는다. 그게 왜인지는 아직도 잘 모르겠으나 대부분이 그렇다.

물론 나는 예외였다.

만약 그때 그 전화를 받지 않았더라면...

내 시간은 좀 달라졌을까? 지금 와서 생각해 보면 그날이 두 번째 기회였던 거 같다. 시간을 아낄 수 있었던 기회 말이다.

촬영장소는 필리핀이었다. 금강산을 해외로 봐야 하는지는 모르겠으나, 윗동네를 제외한다면, 언어와 문화, 얼굴 생김이 다른 곳으로의 해외 출장은 처음이었다.

날씨는 더웠고, '헬퍼'라고 해서 우리나라 중학생 정도로 보이는 아이들이 촬영 짐을 운반해주며 받는 몇 달러의 팁에 우리에게 '보스'를 연발했다. 내 입에는 맞지 않는 음식이었지만, 더위에 마른침을 삼키는 건지, 그 아이들의 목젖은 하루 종일 쉴 새 없이 위아래로 움직이는 엘리베이터의 모습처럼 바삐 움직였다.

그 아이들은 식사 자리에서 우리와 겸상도 하지도 않았으며, 먹다 남은 음식을 받아다 포장해 가곤 갔다. 집에 있는 가족들의 생계를 책임져야 하는 듯했다.

문득 어릴 적 친형이 가끔 만들어 주던 수제비가 생각이 났다. 그 더위에 나는, 왜 형이 만들어 주던 수제비가 생각이 났을까!

촬영 내용은 한국에서 은퇴한 시니어들을 위한 홍보였다. 골프

장, 펜션, 주변 인프라 등이 주된 촬영 내용이었는데, 해외라고 해서 촬영 스탭이 더 많은 건 아니었다.

감독 한 명, 나를 포함 카메라 두 명, 조명 한 명, 대행사 관계자인지 알 수 없는, 큰 선글라스에 챙이 넓은 모자를 쓰고 있는 여자 한 명, 그리고 기억이 나지 않는 사람들 몇 명.

연출 감독이 원하는 앵글, 분위기를 이야기하면 카메라 감독은 구도를 잡는다. 사극 현장에서 내 또래로 보이던 녀석이 하던, 그 일을 이제 내가 하고 나면 조명 감독이 세팅을 한다.

C-스탠드에 A-스탠드까지, 반사판도 많고 고보도 많고, 조명감독 혼자 하기에 벅차 보여, 슬쩍 조명감독을 도와주기도 하고 남는 카메라로 주변 인서트 촬영을 하기도 했다.

4박 5일간의 촬영을 마치고 돌아왔다. 알바비는 오십만 원을 받았다. 추후에 알게 된 얘기지만, 내 인건비는 카메라 감독이 사비로 챙겨 줬다. 그 카메라 감독은 본인 인건비도 못 받았는데 말이다.

우리가 사는 세상엔 이런 일이 비일비재(非一非再) 하다. 말 그대로 누군가에겐 흔하디흔한 일이다.

필리핀 촬영을 함께 갔던 카메라 감독에게 연락이 왔다. 공익광고 촬영이 있는데 하루 도와 줄 수 있냐는 전화였다. 사극으로 조명 알바도 해봤고, 6mm프로그램이지만 연출도 해봤기에 현장은 어렵지 않았다.

카메라 앵글에 지저분한 것들이 보이면 치웠고, 교통통제도 했으며, 모델들에게 연출 감독의 디렉팅을 전달하기도 했다.

촬영이 마무리된 후, 나를 잘 봤는지, 아니면 그날을 마지막으로 그만두는 조 연출(조 감독) 자리를 갈음하고 싶었는지 모르겠으나, 연출 감독에게 일을 같이하자는 프러포즈를 받았다. 월급은 많이는 못 줘도 월 삼백은 맞춰 준다는 조건이었다. 나름 대기업이었고, 처우가 확실히 소규모 프로덕션과는 다르다고 생각했다.

지금껏 제안받아보지 못한 큰 금액이라, 나는 고민에 빠졌다.

마지막으로 한 번 더, 내 기회를 믿어볼 것인가,
아니면 추억으로 남기고 떠날 것인가.

그때가 2008년 여름에서 초가을로 넘어가는 시기였다. 내 나이 서른하나. 아저씨의 나이가 되어가는 시간이었다.

제2장 개와 늑대의 시간

하루에 두 번, 빛과 어둠이 서로 바뀌는 이른 새벽과 늦은 오후를 의미하는 '개와 늑대의 시간'. 사물의 윤곽이 흐려져, 저 멀리서 어슬렁거리며 다가오는 실루엣이 내가 기르던 개인지, 나를 해칠 늑대인지 분간할 수 없는 시간이 시작되었다.

사무실은 상암동에 있었다.

지금에야 경계가 많이 허물어졌지만 그때만 해도 여의도는 방송, 강남은 광고, 충무로는 영화였다.

방송의 메카 여의도가 저물고, 상암의 시간이 오고 있었다. 상암은 출근 시간도 있었고, 퇴근 시간도 있었다. 계약직도 아니고, 출근을 해야 하는 이유는 몰랐지만 일 년여 가까운 시간을 출근을 했다. 환승을 다시 해야 했지만, 점심값은 선배 감독의 몫이었다.

정식 직원이 아니기에 내 자리는 없었고 그때그때 빈자리에서 사무 업무를 봤다. 타임 테이블(스케줄표)은 엑셀 프로그램으로 만들었는데, 본래 자리 주인이 돌아오면 가끔 뻘쭘해지기도 했다.

사무 업무가 익숙하지 않았지만, 밤을 새워서라도 만들었고, 자료 편집은 일상이 되었다. 그렇게 조감독 생활을 처음부터 다시 시작했다. 작가와 미팅을 하고 구성안 회의를 하며, 모델 섭외를 하고, 촬영장 헌팅을 하고, 감독에게 보고를 하고, 다시 정리된 내용을 광고주에게 보고하고, 마음에 들지 않으면, 그 과정이 처음부터 다시 시작되고. 어찌 보면 진안(鎭安)한 시간의 연속이었다.

매체 혹은 장르에 따른 다름이야 있을 수 있겠지만, 프리 프로덕션, 프로덕션, 포스트까지 영상인이라면 무조건 거치는 공정이었다.

배차받은 카니발은 조수석 뒷문이 함몰되지도 않았고, 내비게이션도 있었다. 지정된 주유소에서 주유를 해야만 하는 건 불편했지만, 나름 할만했다. 악필(惡筆)이지만 수기(手記)로 차계부도 작성했다.

그렇게 버티고 배우다 보면, 익충(益蟲)은 못 되도, 해충(害蟲)은 안 될 것 같았다. 그동안의 고생은 고생도 아니고, 소위 말해 이제 좀 풀릴 줄 알았다.

진짜 조금만 버티면 될 줄 알았다.

지금까지 시간은 훈련소에서 기본 제식을 배우는 훈련병의 시간이었다고, 스스로를 가스라이팅 했다. 내 스스로를 세뇌시켰다.

신용카드가 또 한 장 늘어 세 장이 되었다. 신용이 좋아 신용카드를 만드는 게 아니라, 지금의 신용을 유지하려면 더 필요해졌다. 벌이가 없는데 늘어나는 신용카드를 보면 내가 운이 좋은 건가 싶기도 했다. 사채까진 안 갔으니 말이다. 물론 농담이다.

그렇게 몇 년간 카드론은 일상이 되었고, 월급 삼백은 받아본 적도 없다. 건별 프로젝트 인건비는 조 감독 항목으로 백오십으로 책정되어 있었다.

쉽게 말하면 한 달에 두 프로젝트는 해야 삼백만 원이 되는데 앞서 말한 것처럼 프리 프로덕션, (기획)프로덕션, (촬영)포스트, (편집, 납품)의 공정을 거쳐, 마무리하려면 기본 정산까지 두 달이었다.

카드 결제일과 정산일은 달랐고, 약속된 날짜에 정산이 안 되는 날도 있었다. 정규직이라면 그랬을까?

저녁이 있는 삶을 바라지도 않았고, 명품은 지금도 잘 모르는데, 평균 연봉이 천만 원이 안 됐다. 아니, 연봉의 개념이 없었다. 저축, 적금, 보험의 개념도 없었으니 말이다.

궁금하진 않겠지만, 이쯤 되면 도대체 왜 다른 일자리를 알아보지 않았을까? 하는 의문이 생길 것 같다. 비겁한 겸손 같지만, 내 스스로의 문제가 가장 크다. 나는 굉장히 게으른 사람인데, 나의 게으름은 진득함으로 보기 좋게 포장되었고, 나의 시간은 어찌 보면 공공재(公共財)로 쓰였으니, 제대로, 꼴(소가 먹는 여물) 값을 못했다.

모든 사람들이 공동으로 이용할 수 있는 재화, 또는 서비스를 공공재(公共財)라고 한다. 공공재(公共財)는 비경합성(非競合性)과 비배제성(非排除性)을 특징으로 하는데, 쉽게 풀이하면 다투지 않고, 배척하지 않는 성질이다.

그럼, 공공재(公共財)는 좋은 거 아닐까?

경제학의 아버지 애덤 스미스는,

"개인이 남을 위해서가 아니라 개인의 이익을 위해서 최선을 다한다면, 그 사회는 좋은 사회를 구성하게 될 것이다."

라고 이야기했고,

이에 반박하는 내용으로 미국의 생태학자 게릿 하딘은 '목초지의 비극'을 예시로 들기도 했다.

같은 키워드에 대한 두 사람의 정의는 서로 달랐다.

잠깐 친형의 이야기로 잠깐 돌아가면, 형은 진득하니 한 분야의 일을 해본 적은 없는 것 같다. 물론 지금도 나는 형의 정확한 직업을 모른다. 가끔 볼 때마다 직업은 달라졌고, 바람처럼 구름처럼 사는 사람이다.

그런 형의 삶을 나는 이해하지 못했고, 끈기가 없는 사람이라 생각했지만, 지금도 우리 형은 마흔이 넘은 내게 용돈을 준다. 본인의 시간을 내게 나눠 준단 말이다.

그렇다면 나는 행복한 사람인가?

형의 인생은 끈기가 없는 가벼움이 아니라, 철저히 생존을 위한 몸부림이었다. 필리핀에서 남은 음식을 포장해 가는 그 어린 소년들의 모습처럼.

나는 그래서 더더욱 다른 일을 알아볼 수 없었다.

내가 할 수 있는 일은 버티는 일뿐이었다.

지금은 비록 노안(老眼)이 왔고, 몸이 고장 나기도 했지만, 지금도 깡다구 하나만큼은 자신 있다.

개와 늑대의 시간!

이제는 그 끝을 보고 싶다.

나의 시간은 철저히 공공재(公共財)의 시간이었는데, 당신의 시간은 어떤가?

나는 그 시간이 미친 듯이 아까운데, 내 아버지의 시간도, 엄마의 시간도, 형, 여동생, 그리고 우리 조카들의 시간 역시 공공재(公共財)의 시간이 되었다는 게 너무 억울한데,

당신의 공공재(公共財)는 어떠한가?

당신의 공공재(公共財)는 누구에게 필요한가?.

…………

선배 감독은 몸이 좋지 않아 수 개월 병가를 냈고, 중간에 붕 뜬 나 역시 인고(忍苦)의 시간이 또, 시작됐다.

…………

쌀벌레의 삶이 지겹다.

대학 동창들은 전공을 살려 취업을 했고, 간혹 만나는 동창 모임에서 대화의 주제는 연봉, 결혼이었다. 어느 대화 하나 나는 낄 자리가 없었다. 깡 소주로 쓰린 속을 달래는 나를 보며

친구 녀석 曰,

"그래도 너는 네가 하고 싶은 일을 하잖아?
연예인은 많이 보냐?"

속이 쓰리다. 목구멍까지 차오르는 말 한마디 하고 싶지만 소여물 씹듯 속으로 삼킨다.

'니들은 새해 일출을 보며 다짐하지?
나는 매일 일출 보며 빈다.'

....

'살려 달라고.'

....

모임은 오래 가지 못했다. 보편적인 주제 대화에 참여하지 못하는 내 문제가 첫 번째였고, 두 번째는 병아리 눈물만큼 들어오는 스케줄이 전혀 보편적이지 않았기 때문이다.

지금껏,

나는 내가 하고 싶은 일을 하며 산다고 착각을 한 것 같다. 나이가 들고, 경험이 쌓이면, 하고 싶은 일보다 전혀 하고 싶지 않은 일들이 더 많아진다. 내 시간은 점점 닳아 없어지고 있는데...

그간 허투루 쓰인 내 시간을 만회할 기회가 왔다.

도망갈 곳 없는 사각의 링에서 멋진 카운터 펀치를 날릴 수 있는 기회! 상대의 힘을 역 이용해서 한판승을 장식할 수 있는 되치기의 순간! 드라마 조감독 제의를 받았다.

앞서 표현한 것처럼 입봉을 하게 되면 그 밑에 직책으로는 일을 하지 않는데, 나는 그런 건 상관없었다. 연출부로서 새롭게 경험하는 분야이고, 또 새로운 사람들과의 만남이니 새롭게 시작하고 싶었다.

허투루 보냈던 시간을 휘뚜루마뚜루 보내고 싶진 않았다. 최선은 누구나 하니 잘해야 했다, 그리고 잘했다. 스케줄표는 더 빡빡해졌으며, 헌팅은 밤낮없이 이루어졌고, 작가와의 통화는 더 잦아졌다.

여기서 만난 작가 형이 내 목마름을 가끔 채워준다던 바로 그 형이다.

촬영은 주 3회다. 이틀은 현장(로케이션)에서 꼬박 밤을 새웠고, 하루는 세트장에서 주로 촬영을 했다. 집에 들어갈 생각은 엄두도 못 냈고, 잠은 숙직실에서 쪽잠으로 버텼고, 아침은 김밥이었다.

주 1회 방영을 하는 프로그램이었는데, 본사와 외주가 번갈아 격주로 한 편씩 제작하는 방식이었다. 보이지 않는 경쟁 심리가 있었고, 본사에 비해 모든 면이 열악했지만 나에게는 그동안의 깡다구와 경험이 있었다.

내 나이 서른셋. 영혼을 갈아 넣었다.

월급은 편당 오십만 원이었다, 부가세 3.3퍼센트를 떼고 나면 백만 원이 안 되는 급여였다. 그럼에도 불구하고 버틸 수 있었던 건 감독의 비전이었다.

"제작사와 이야기되는 것이 있으니 앞으로 두 작품만 더하고
드라마 입봉하자!"

인원이 부족했기에, 대본리딩, 스케줄 조율, 헌팅, 장소 섭외, 소품 준비는 기본이고, 달리장비(카메라 이동 시 필요 장비) 운용과 가끔 '가이다마(대역)'를 서기도 했다. 말 그대로 편집을 제외한 모든 업무가 내 업무지만.

…………

도대체 또, 어디서부터 잘못된 걸까?

한계 효용 체감의 법칙(같은 일이 반복될 때 만족도가 떨어짐)은 이번에도 역시였다. 감독의 비전은 제작사와의 마찰로 모두 없던 일이 되었고, 한동안 그 감독의 소식은 들을 수 없었다.

그리고 그해 겨울은 유독 추웠다. 한강 입구를 못 찾아 헤매던 그날의 추위만큼이나 말이다.

결국 내가 믿을 건 '행복총량의 법칙'이었다. 지금까지의 불운이 앞으로의 행운으로 찾아온다는 법칙 말이다.

입원했던 선배가 병가를 마치고 업무에 복귀를 했다. 캠페인 촬영보다는 자료편집 일을 주로 하게 됐는데, 광고주를 어느 기관이라고 밝히긴 어렵지만, 상당히 보수적인 기관이었다.

얼핏 보면 촬영 없이 자료만을 가지고 작업을 하면 좀 편할 듯 보이지만 결코 그렇지 않다. 방대한 양의 자료 서치는 오롯이 내 몫이다. 물론 작가와의 구성 회의도 내 몫이었고, 종편실과 녹음실 스케줄 조율까지 내 몫이었다. 밤을 새우고, 또 밤을 새우고, 정리가 된 120분짜리 베타테이프를 챙겨, 종합편집실에서 또 밤을 새우고, 녹음실에서 녹음을 하고, 믹싱을 하고, 1차 담당자 시사를 하고, 수정을 하고, 또 밤을 새우고, 또 밤을 새우고…

본 시사는 담당자를 비롯한 기관장과 임원들이 배석한 자리다. 시사 시간보다 일찍 도착해서 6mm포터블(비디오 데크)을 TV 모니터 옆면, 혹은 뒷면의 영상, 사운드 단자에 연결을 하고 리허설을 한다.

개인적인 생각이지만 미디어 환경이 바뀌게 된 결정적인 이유 하나가 바로 6mm 카메라의 등장이라고 생각한다. 일반인이 시네마(영화 촬영용 카메라) 계열의 카메라를 만져 볼 기회는 없었을 것이다.

TV 드라마, 뉴스를 제작하는 ENG 카메라 역시 그러했을 텐데, 6mm카메라의 등장으로 유선형 편집에서 비선형 편집으로 포스트 환경이 바뀌기 시작했고, 레거시미디어(전통 매체)에서 뉴미디어(유튜브, SNS)의 환경으로 변하기 시작한 것 같다.

시사는 본 영상이 시작되기 전에 프로그램의 성격을 나타내는 자막이 먼저 나오는데, 이걸 '인덱스'라고 한다. 같은 내용의 최종 시사 영상물을 A버전과 B버전으로 컷, 혹은 BG, 성우의 멘트를 달리해서 연속 시사를 한다.

두 가지 버전 중에 더 나은 하나를 선택하기 위함인데, 백이면 백, 십중팔구, 두 가지 버전을 섞어 달라는 광고주의 피드백을 받게 된다(이런 시사 방식은 개인적인 경험). 이런 수순은 예상되어 있던 터라, 이렇게만 마무리되면, 나름 시사는 성공적으로 마무리 되었다고 할 수 있다. 물론 나는 다시 종편실로, 녹음실로 이동하겠지만 말이다.

가끔 광고주와 개인적으로 소주 한 잔씩 하기도 했다. 선배 감독이 술을 안 하는 이유도 있지만, 어쨌든 '한 선생님'과 얼굴보고 지지고 볶는 건 나였기 때문이다. 촬영 비중은 적고, 자료편집 프로젝트의 기관 담당자를 우리는 '한 선생님'이라고 불렀다.

'한 선생님' 댁은 남산 근처였는데, 작은 선술집에서 특정 브랜드의 소주만 마셨으며, 각 2병은 기본이었고, 안주는 언제나 번데기 탕 이었다.

심각하게 길치였던 나는 그 장소를 기억 못 하지만, 누구 못지 않게 말술이었던 나는 그날의 정취(靜趣)는 지금도 또렷이 기억하고 있다.

"너 같은 애가 잘돼야 한다.
너처럼 진정성 있게, 열심히 버티다 보면 곧 너의 시간이 온다.

내가 지금은 힘이 없지만, 아니, 힘이 있어도 안 되지만,
내가 견장 떼고, 네가 살면서 힘든 일이 있으면,

누구 하나 죽여 달라고 한다면, 그때는 내가,
그 부탁은 하나 들어줄게."

한 선생님이 뜬금없이 왜 그런 얘기를 했는지는 지금도 모르겠다. 전혀 공익적이지 않은 내 행태를 보고, 진정성을 느껴서 그랬는지도 알 길이 없다.

진정성(眞情性) ...

진실하고 참된 성질, 그 진정성을 판단하는 면접관은 면접인의 어떤 모습을 보고 진정성을 판단할 수 있을까? 사슴 같은 눈망울? 가식으로 포장된 미소? 뼈를 묻겠다는 충성서약?

앞선 예시에 나는 하나도 해당이 되지 않는데, 한 선생님은 나의 어떤 행태를 보고 진정성을 유추(類推)했을까?

스펙으로 모든 게 정리가 되는 요즘 세상에, 진정성(眞情性) ... 참 어설프고, 촌스러운 단어다.

취중사담(醉中私談) 자리가 끝나고 얼마 후

....

한 선생님의 본명을 알게 됐다.

....

전혀 예상치 못 한 장소였다.

병명(病名)은 돌연사, 댁에서 주무시다가 깨어나지 못했다고 한다. 장례식장에 번데기 탕 은 없었고, 특정 브랜드의 소주만 있지도 않았다.

조문을 마치고 고인 명(故人名)을 다시 보니, '한 선생님'의 외모와는 참으로 안 어울리는 예쁜 본명(本名)만이 투박한 폰트로 남아 있었다.

결제는 납품을 한 후 회사 지급일에 맞는 날짜에 지급이 된다. 정산 날짜가 휴일이거나 명절 연휴가 있는 주(週)라면 다음 주, 다음 달로 이월(移越)되기도 했다.
다시 한번 말하지만 정규직 월급날도 이월(移越)이 됐을까? 본인 월급이라면 말이다.

늘어난 신용카드 개수를 줄일 기회가 왔다. 동일 노동을 하지만 동일 임금은 받지 못하는 내가 안쓰러웠는지, 선배가 개인 사업자를 내라는 것이었다.
즉, 독립을 하란 이야기인데, 조 감독 항목으로 한 프로젝트가 마무리될 때까지의 임금이 백 오십만 원이다.

평균 정산이 될 때까지 두 달의 시간이 필요했는데, 그렇게 계산을 하면 월 80만 원이 안 되는 금액이었다. 교통비에 통신비, 가끔 후배들과 소주라도 한잔하면 이 금액은, 진부한 표현이지만 턱없이 부족했다.

그래도 버텼다. 버티고, 버티면 신데렐라 스토리의 주인공은 아닐지언정, 비스무리한 동화 같은 날이 올 거라는 생각으로 말이다. 물론 동화 같은 스토리는 없었다.

대학 시절 방학이면 공장에서 짐을 나르고, 에어컨 실외기를 나르고, 유통회사 '까대기'도 하며 알바를 해본 적도 있다. 그 일을 좋아서 했던 건 아니다. 단지 등록금이 필요했기에 선택한 일이었다. 지금의 미디어 관련 일은 등록금이 필요하지도 않고, 방학마다 한시적으로 했던 알바도 아니다. 내가 처음으로 해보고 싶었던, 오롯이 내 의지였다.

내 목표와 목적은 분명했다.

영상을 배워보고 싶었고, 영상인이 되고 싶었다. 꿈을 말하기엔, 아직 미성숙했기에, 국으로 열심히 일만 했다.

그런데 왜 안 되는 걸까?

편법은 배우질 않았고, 그럴 생각조차 안 했으며, 돈을 좇지도 않았다. 사람 귀한 줄 알았고, 내 현장에서 나는 그 누구에게도 쌍소리를 한 적이 없으며, 꼭 그 사람의 이름을 불러주곤 했다. 출연하는 배우, 모델의 연락처는 받아본 적도 없고, 그 흔한 식사자리 한번 없었으며, 프로젝트가 마무리되고 송출이 되면, 별건 아니지만 꼭 에이전시를 통해 완성된 마스터 본과 방송 편성표를 E-mail로 보내 줬다.

이유는 간단했다. 쓸데없는 구설수(口舌數)에 오르는 게 싫었고, 매체를 통해 본인이 출연한 영상물을 보는 건 느낌이 또 다르다. 그게 매너고 예의며, 그 사람의 시간에 대한 존중이라고 생각했다.

친가(親家) 어르신 중에 독립자금을 만드셨던 분도 계셨다. 외할아버지는 6.25 당시 경찰로 참전하셔서 지금 이천 호국원에 계시니, 곰곰이 생각해 보면 친일을 한 것도 아니고, 종북을 한 것도 아닌데, 조상 탓을 하기에도 뭔가 논리적으로 맞질 않는다.

아니, 오히려 둘 중에 하나라도 했어야 했는데, 그러질 못해서? 그래서 지금도 등록금 보다 비싼 생활고에 허덕이고 있는 걸까?

프로젝트를 시작함에 있어서 나름 과정도, 결과도 좋았는데, 언제나 나는 급하게 한 타자를 상대하러 올라온 원 포인트 릴리프 선수에 그쳤고, 콜 업을 준다는 말만 믿고 기다리는 반쪽짜리 2군 선수가 됐다.

승리투수의 영광은 내 몫이 아니었고, 구원투수에 대한 안도감(安堵感) 역시 그들의 몫이었지만, 그것이 한 번도, 내 것이라 생각하지 않았고, 탐하지도 않았으며, 그런 일상의 연속에 나는 감사함을 느꼈다. 노동의 가치를 알기에 감사했고, 내가 만드는 일에 자부심을 느꼈다.

산수는 잘 못했지만, 분수도 알았고,

국어를 배웠기에 주제도 알았다.
굳이 '강태공의 곧은 낚시'는 인용할 필요도 없이,

아직 내 시간이 아니니, '이 또한 지나가리니' 생각하고
버티고 버텼다.

그렇게라도 살아야 했기 때문에,

나의 시간을 되찾기 위해 버텼고,

이제는 간이 잘 맞지 않지만,

엄마의 칼칼한 해장국으로 버텼고,

형의 시간으로 버텼다.

많은 이들이 인생을 스포츠에 비유 하곤 한다.

9회말 2아웃의 끝내기 홈런을 기대하며,

언더 독 팀이 리그 최강팀을 상대로 극장 골을 넣기를 기대하며, 최선을 다하는 선수들의 플레이에 환호를 보내고, 자신의 삶에 투영하며, 본인도 그러할 수 있다고 믿기에. 현실과 하나 다른 점이 있다면, 스포츠에서는 규칙에 의한 숙련된 페이크를 기술로 칭송한다. 과한 헐리웃 액션은 심판이 경고를 주기도 하고 퇴장을 주기도 하는데, 그게 현실과 다른 점이다.

규칙을 지키며 플레이하는 선수는 규칙을 변경해가며 플레이 하는 선수를 절대 이길 수 없다.

공정한 규칙으로 진행을 해야 하는 심판은 그냥... '깜냥'이 안 된다.

그런 사람들이 현실에선 선수고, 심판이고, 구단주다.

본인의 홈그라운드를 벗어나선 아무것도 못 하면서, 팀플레이 개념도 없으면서, 허접한 본인의 플레이는 만족하는 사람들.

행여 결과라도 좋으면, 마치,

내가 다 한 것처럼, 내가 다 아는 것처럼, 나 아니면 안 되는 것처럼, 정신 승리하는 사람들.

그런 사람들이 스포츠의 정신을 이야기한다.

써글.....

공공장소에서 괴성을 지르고, 흡연을 하는 것만이 민폐가 아니다.

개념이 없는 것도 민폐다.
권한은 가지고 싶고, 책임은 지기 싫고, 일은 하고 싶은데, 돈은 쓰기 싫고, 내가 받는 건 많이 받고 싶은데, 주는 건 적게 주고 싶고,

미친.....

방법은 있다.

혼자 할 수 있는 개인 종목 스포츠를 하길 바란다.

영상은 수많은 사람들의 시간과 노력으로 만들어가는, 공동협업으로 이루어진 대중스포츠다.

우리의 시간과 노력에 아낌없이 환호를 보내주는 관객의 소중함과 감사함을 알기에, 우리는 오늘도 밤을 새운다.

정확히 10년의 꼴값이 끝났다.

2008년부터 2018년까지, 신용카드 개수는 줄었으나, 전혀 행복하지 않았다.

서른아홉의 겨울은 스물아홉의 겨울과 달라 진 게 없었다.

수년간 같이 작업해왔던 spot(30초 홍보)의 담당자는 일언반구(一言半句) 없이 연락을 끊었고, 2년째 견적서만 달라고 하던 또 다른 담당자는 아직도 연락이 없다.

바보가 아닌 이상, 연락이 없으면 결과가 좋지 않다는 걸, 알 수는 있다. 그 정도의 이해력은 있는데, 혹시 내가, 문해력(文解力)이 떨어지는 것일까, 왜 그 흔한 문자 메시지조차 안 보내는 걸까? 나를 배려해서? 그런 사람들 행태는 누군가에게 그렇게 배워서 하는 걸까? 아니면 근본 자체가 그런 사람들일까?

잊혀진다는 건 서글픈 일이 아니다. 근묵자흑(近墨者黑)이 되기보다는 잊히지는 게 훨씬 쿨하다.

늙는다는 건 더 서글픈 일이 아니다. 버텼다는 반증(反證)이다.

캥거루, 침팬지도 직립보행을 하지만, 우리는 그 종(種)을 인간이라 부르지 않는다,

우리가 그것들과 다른 건 부끄러움을 아는 직립보행人이기 때문이다.

第3장 일장춘몽(一場春夢)... 픽션 과 논픽션 사이 그 어딘가

몇 번의 봄이 지났지만, 희망고문에서 깨어나지 못했다. '쓴 것이 다해도 단 것'은 오지 않았다.

가뭄에 콩 나듯 아주 가끔 롱릴리프를 찾는 사람 덕분에, '핵을 들고 도망친 101세 노인'의 저자 요나스 요나손과 '총•균•쇠'의 저자 재레드 다이아몬드를 인터뷰할 수 있었었고, 또 몇 편의 다큐멘터리를 연출해 볼 수도 있었다.

통신사 번호 이동 없이 수십 년 함께 해온 휴대전화는 허구와 현실 사이를 유일하게 이어주는 '오작교'였다.

프리랜서 대부분이 그러하겠지만, 대부분의 연락은 '알음알음' 소개로 연을 맺는다, 수면 아래, 숨이 '꼴딱꼴딱' 넘어가기 직전, 정신이 혼미해지는 순간, 누군가 내 머리끄덩이를 잡고 딱, 수면 위까지만 올려 놓는다. 희망고문에서 깨어나기 힘든 순간이다.

희망고문에서 깨어나기 위해 가장 먼저 해야할 것은 휴대전화 번호를 바꾸는 일이라는 걸 나는 잘 알고 있다.

눈 한번 딱 감고 하면 되는데, 게으름을 피우고 있다.

크게 보면 모든 영상은 홍보의 범주에 들어간다. 1인 미디어(유튜브) 역시 마찬가지인데, 다시 그 영상들을 장르로 따져 세분화해보면 대략 영화, 드라마, 시사교양 프로그램, 뉴스, 예능, 광고를 들 수 있다.

영화는 허구의 이야기를 그럴싸하게 포장하여 관객의 선택을 받는다, 철저하게 감독의 작품이며, 관객의 카타르시스를 충족시켜야 살아남을 수 있고, 가끔 사실을 영화로 제작하기도 한다.

드라마 역시 영화와 비슷한 장르지만 다른 점이 있다. 영화 시나리오는 감독이 직접 수년간 준비를 한다, 물론 시나리오 작가의 대본이 영화가 되기도 하지만, 대체로 드문 경우다.

드라마는 감독보다 작가의 역량이 더 큰 비중을 차지한다. 매주 혹은 매일 한 시간 분량의 대본을 집필한다는 것은 여간 어려운 일이 아니다. 시청자들의 반응을 시시각각 살펴 대본에 녹여내야 하는데, 정신없이 돌아가는 바쁜 현장에서는 절대 불가능하다. 사전 제작을 하는 지금도 그러하니, 작가의 영향력이 드라마에선 절대적이다.

시사교양, 뉴스를 만드는 PD는 앞서 설명한 장르의 감독과 조금 다른 자세가 필요한데, 관객의 카타르시스보다는 정론직필(正論直筆)의 자세, 바로 저널리즘이 필요하다. 어떠한 사실을 어떻게, 얼마나, 어떤 방식으로 보도하고, 비평할 수 있으며, 사회적 책무를 다해야 한다. 그 고민을 끊임없이 해야 한다. 팩트체크는 기본이고, 중립적이어야 한다.

예능 PD는 가족 구성원 전체가 자극적이지 않고, 참신한, 재미있게 즐길 수 있는 프로그램을 제작하는 것이 중요한 덕목이다. 시청률을 무시하진 못하겠지만, 비슷한 포맷의 짜깁기 제작은 시청자들을 피곤하게 만들기도 한다.
광고를 선전과 혼동하는 사람이 있는데, 이는 잘못된 것이다.광고는 상품이나 서비스에 대한 정보를 소비자에게 알리는 행위고 선전은 조직 혹은 개인의 주장을 사람들에게 알리는 행위다.

이런 광고를 만드는 감독은 소비자의 지갑을 열게 만들어야 한다. 소비자의 지갑을 열지 못하는 감독은 의도가 아무리 좋아도시장 경제에서 살아남을 수 없다.

참고로 광고와 선전을 혼동해서 사용하는 것처럼, PD와 감독(연출)을 혼용해서 사용하기도 한다,

큰 맥락에서는 같은 의미지만 세부적으로 들어가 보면, 기자와 뉴스 PD의 직군이 다른 것처럼 그 의미가 다르다.

PD(프로듀서)는 제작부 소속으로 기획, 섭외, 마케팅을 하고 제작비를 담당한다.

감독(디렉터)은 연출부 소속으로 촬영 전반에 대해 권한을 행사하며 촬영과 편집을 담당한다.

소규모 프로덕션에서는 PD와 디렉터의 역할을 겸업하기도 한다. 나처럼 말이다.

간혹 스크롤(방송 말미에 나오는 자막)을 보면 제작진 항목에한 사람 이상의 이름이 나오기도 하는데, 이는 먼저 노출되는 사람의 이름이 뒤에 나오는 사람보다는 '선배'라는 의미다.

그 스크롤 하나에 누군가는 울고 웃곤 한다.
1인 미디어(유튜브)는 모든 걸 혼자 담당해야 한다. 상업 영상만큼 퀄리티를 보장할 수가 없다. 팩트 체크 역시 취재의 한계가

있어, 진실성을 담보하기도 어렵다. 그렇다고 해서 1인 미디어의 단점만 있는 것은 아니다. 기획이 빨라지고, 시청자(구독자) 의 반응을 실시간으로 확인할 수 있어, 레거시미디어보다는 훨씬 양방향 소통이 가능하다. 비싼 장비, 제작비도 중요하지만, 무엇을 보여주고, 어떻게 만들지에 대한 고민이 더 중요하다.

문제는 다큐멘터리인데...

사실 잘 모르겠다. 다큐멘터리는 기본적으로 사회 이슈 혹은 문화가치를 따져, 제작하는 프로그램으로 최대한의 연출은 자제해야 한다, 여기서부터가 어려운데, 사실을 최대한 객관적이고 있는 그대로를 보여줘야 하는 다큐멘터리 역시 매체의 특성에 따라 기획을 하고, 촬영을 하고, 편집을 하는 순간 연출의 영역이 순수 기록의 영역을 침범할 수밖에 없다. 어려운 장르다.

감히 나는 그런 이유로...

다큐멘터리를 '적당한 가식으로 포장된 기록물'이라 생각한다. 상대를 기망하는 노골적인 가식이 아닌, 적당한 가식은 오히려 상대를 배려하기도 한다,

언제나 그렇듯 '땜빵' 연출자의 시간은 부족하다, 발주처와 미팅은 잡혔고, 구성안이 필요했다. 급한 대로 구성안 작업을 마치고 작가를 섭외했다. 촬영만 열흘이 넘었다.

촬영이 마무리됐으니 이제 밤을 새워야 한다. 밤을 새우고, 또 밤을 새우고, 믹싱을 하고, 시사를 하고, 또 시사를 하고,

나름 이번에도 롱릴리프로서 역할을 잘했지만, 역시나 콜업은 없었다. 달콤한 목소리에 혹해서 프로젝트를 받는 건 아니다.

스포츠의 정신을 모르는 사람들의 목소리는 고된 훈련에 지친 훈련병의 시간을 유혹하는 초코빵처럼 달콤하지 않다. 오히려 콩 한 쪽도 나눠줄 만큼 애절하다. 그 애절함은 시간이 지나면서 느긋해지기도 하는데, 대표적인 '꾀임'이 "이거 한 번 도와주면, 좋은 일 있을 거야."…

픽션과 논픽션 사이 그들의 신의(信義)는 남아 있지 않았다.

세상 온화했던 미소는 온데간데없고, 익숙한 방관자의 모습으로 다시 돌아갔다. 인 저리 타임까지 죽을 듯 달렸던 경기장의 관중은 사라졌고, 선수의 거친 호흡만 공허하게 남았다.

"내 손에 무기가 없으니, 우리 허심탄회하게 이야기해 보자." 라며 건넸던 악수는 말 그대로 악수(惡手)가 되었다.

'너'의 일상으로 초대를 나는 단호히 거부했어야 했다. 남들처럼 사는 게 가장 힘들다.

특정 소수인에게 대물림 되고 용인(容認)되는 시간이 보편적인 대다수에겐 용인(容認)되지 않기 때문인데, 소설 '완장'이 생각났다.

노란색 바탕에 파란 글씨로 새겨진 완장을 차고 꼴값을 떠는, 그 '완장'이 뭐라고. 물론 나도 완장을 차 본 적이 있다.

대한민국 신체 건강한 남자라면 누구나 한 번쯤 차봤을 완장!

일시적이지만 군 시절, 나는 그 완장의 무게를 나름 공정하게 사용했다. 내무 생활의 부조리를 타파하는 데 사용했고, 시간의 흐름에 맞춰 후임에게 고스란히 물려줬다.

화무십일홍. 어려운 뜻 같지만 사실 그렇게 어렵지 않다. 이십대 초반 시절 내가 깨달았던 아주 단순한 사실을 지금까지도, 깨닫지 못하는 사람들에게 묻고 싶다.

"군대는 다녀왔냐?"

"현역으로?"

공장에서 찍어내는 물건이 아니라면 원작자에게 똑같이 만들어 달라는 의뢰가 가장 어렵다. 오히려 모사꾼들에게 완제품을 보여주고 똑같이 만들어 달라는 게 더 쉬울 수 있다. 그것도 나름 수준에 맞는 괜찮은 방법이다.

또 하나.

결정권자 본인 스스로 A급이 아니면 절대로 그 사람은 A급들과 일을 하지 않는다. 본인의 능력 부족을 들키기 싫어서인데, 반대로 본인 스스로 B급이라 생각하는 사람들은 A급들과 일을 하려 오늘도 밤을 샌다. 그게 예의라고 생각하기 때문이다.

나는 아직까진 꽤 괜찮은 B급이라고 생각하는데, 그동안 내가 만나왔던 '완장'의 가치를 모르는 사람들은 스스로를 어떤 급으로 생각할지 궁금하다.

묻고 싶다.

결정권자 본인 스스로를 A급이라 생각하면 덩달아 나도 A급일 것이고, B급이라 생각하면, 왜 그 완장을 차고 있는지. B급에게 완장을 물려주는 조직의 존재 이유를 묻고 싶다.

일찍 일어나는 새가 벌레를 잡는다고 한다. 일찍 잡아먹히는 벌레는 적어도 그 시간까지 살아보려 버티다 잡아먹히게 되는 꼴인데, '무책임한 낙관'을 믿은 스스로를 먼저 탓해야만 하는 게 뭔가 잘못돼도 한참 잘못됐다.

그 벌레는 일찍 일어난 게 잘못일까? 일찍 잠들지 않은 게 잘못일까? 늦게까지 일을 하다 잠을 못 잔 게 잘못일까? 그 벌레는 '나방'이 아니라 '나비'가 될 수도 있었을 텐데..

똥파리는 '새'가 아닌데... 왜 그랬을까?
다시 한번 진지하게 묻고 싶다.

"니들 뭐냐?"

"지구에서 그러는 이유가 있을 거 아냐?"

"도대체 나한테 왜 그러는 거냐?"

"설마, 내가 너희들과 달라서?"

"나방도 안 될 거 같은데, 나비가 되길 바라서?"

....

....

"아니면, 아무 생각 없이 그냥,
그렇게 해도 될 거 같아서?"

"왜 내 앞에서 당당하지?"

스물아홉 마지막 겨울의 시간이 생각났다.

나와는 근본이 달랐던 그 사람들의 시간, 옷차림... 그 시간의 익숙함을 즐기는... 더 이상 바랄게 없는 듯 온화한 표정 뒤에 가려진 무표정한 눈동자...

똑같았다.

우연찮게 21대 국회의원 선거 영상 제작 의뢰가 들어왔다. 연출자로서 내 조건은 하나였다. 전권(全權).

정해진 시간 내에 더 많은 유권자를 만나야 하는 후보자의 시간은 말 그대로 '금'이었다. 공공재(公共財)로서의 마지막 시간이 되길 바라며 나는 우리의 시간을 철저히 아마추어처럼 분배했다.

프로의 시간은 곧 돈이지만, 우리의 시간은 누군가에겐 언제나 아마추어였고 그럴 수밖에 없는 구조다.

제작은 일사천리로 진행되었다. 후보자의 반응도 좋았고 나름 뉴스에도 보도가 됐으니 전국적인 이목을 끌기도 했다. 결과 역시, 당선되었으니 두말할 나위 없이 좋게 마무리됐다.

... 그리고 그게 끝이었다...

논공행상(論功行賞)을 따질 필요도 없이.

'생존의 법칙'을 바꿔야 했다.

적으로부터 나를 지키기 위해 몸집을 크게 보이려 하는 귀여운 '래서판다'일지 모르겠지만, 재주만 부리는 곰도 가끔 직립보행을 한다.

단순 하청만 기다리기엔 너무 많은 시간이 지체됐다. 선배 형과 꼬박 2년 동안 입찰에 매달렸다.

'시방 서' 확인 후, 관련 내용을 서치하고, 초안을 만들었다. 몇 번의 회의와 수정을 거쳐 입찰pt를 한다.

pt는 선배 형이 담당했는데, 결과는 좋지 못했다.

아무리 아이디어가 좋아도 '정량적 점수'의 벽은 두꺼웠고, 1인치의 장벽은 허들보다 높았으며, 생각보다 공고(鞏固)했다.

과정은 힘들었고, 결과 역시 허무했다.

본인의 시간에 책임을 져야하는 나이가 되면 달라지는 게 있다. 꽃을 피우기까지의 과정과 열매를 수확하는 결과 모두 중요하지만 결국, 모든 포커스는 열매에 맞춰지게 된다.

달콤한 열매의 감흥은 하루 이틀이면 시든다는 것을 알면서도 평생의 안줏거리로 혹은 소소한 행복의 소재가 될 수도 있는 과정의 '희로애락'은 과감히 삭제시키며 말이다.

때로는 '소재'가 '주제'보다 명징(明澄)하지만,

통편집을 해야 한다.

2023년의 여름이다.

올해 여름은 그전까지의 여름과는 좀 다르다. 가끔이지만 어떤 날은 샌드위치에 아이스 아메리카노 커피를 준비하고, 또 어떤 날은 김밥을 준비하는 엄마 덕분인데,

아들이 20여년 만에 출근이란 걸 해서일까?

일시적이지만 6개월간 일반인들처럼 출·퇴근을 하는 아들의 삶이 엄마가 보기엔 나쁘지 않아서인 것 같다.

어린 시절 점심시간에 맞춰 아들 도시락을 싸주시던 엄마는 마흔이 넘은 아들의 도시락을 다시 싸주고 계신다.

엄마의 시간은 아들에겐 아깝지 않은가 보다.

'내리사랑'이라... 평생의 구독자여서 그런가?

나는 매일이 소풍가는 느낌이었다. 그도 그럴 것이 왕복 칠십 킬로미터 넘는 거리가 그 첫 번째 이유고, 나를 '쌤'이라고 부르는 녀석들이 두 번째 이유다.
그 녀석들이 내게 건넨 첫인사는,

"쌤, '배고파요'."

나는 매일 간식을 준비해 냉장고에 채워 넣었고 덕분에 만두가게, 편의점 사장님과 친해졌다.

근무지 특성상 월요일은 휴무였다. 조삼모사(朝三暮四)이지만 토요일까지 근무를 하면 월요일 출근은 하지 않았는데, 느낌적인 느낌으로 일주일이 금방 지나갔다.

입찰을 같이 준비하던 선배 형 도움으로 중·고등학생을 대상으로 미디어리터러시 교육을 했다. 학생들은 나를 '호랑이 쌤', '일타강사', '츤데레' 등등 뭔가 독특한 게 없는 캐릭터로 불렀다.

평생을 '감독'이라는 호칭을 들어봤지만 '쌤'이라는 호칭은
너무 어색했다. 팔자에도 없는 '선생'이라니, 그렇다고 해서 '처삼촌 묘에 벌초하듯' 아이들을 가르치진 않았다.

기획부터, 대본, 조명, 카메라 조작, 편집을 가르쳤다. 같은 내용이라도 새롭게 구성하고 싶었고, 학생들이 이해하기 쉽게 전달하기 위해 후배 카메라 감독과 상의를 했다. 전체적인 커리큘럼과 교육은 내 몫이었고, 실무는 후배 카메라 감독의 몫이었다.

학생들 스스로 라디오 부스에서는 직접 DJ와 패널 역할을 구분해 오프닝, 클로징 멘트를 작성했고, 상황에 맞는 음악 선곡도 했으며, HDMI (long) 케이블을 이용해 건물 외경에서 내부로 이어지는 이원 유튜브 생방송 라이브를 하기도 했다.
학생들에게 가장 중요하게 교육한 건 기획 의도와 팩트 체크다. 무엇을 보여주고 무엇을 담을지에 대한 진지한 고민! 획일화된 답안지가 아닌 본인 스스로에게 던지는 질문!

그 질문 자체가 나에게 던지는 투영이라는 걸 알면서 말이다. 교육 장소까지 두세 시간이 넘는 거리를 하루도 빠짐없이 나오는 아이들이 대견했다. 담배 냄새에 절어 있는 중고차이지만 가끔 집 방향이 같은 아이들을 태워다 주기도 했다.

교육 시간 내내 한 번도 졸지 않는 아이들이 고마웠다. 아니, 그 모든 걸 차치하더라도 내가 진짜 고마웠던 건,

'하늘을 우러러 몇 점 부끄럼이 있게' 살았겠지만, 나도 꽤 괜찮은 어른이 될 수 있을 거라는 기회를 준 그 아이들, 그 아이들의 시간! 존재 자체가 고마웠다.

매주 다른 교육을 강의했다. MZ의 습득력은 스펀지 같았다. 투박한 '쌤'의 질문에 자기 의견을 피력(披瀝)하고, 협업하면서 팀 스포츠의 일원으로 스스로 부족한 걸 채워 넣기 시작했다.

교육 기간 내내 아이들 출석률도 좋았으며, 웃고 즐기는 아이들이 점점 늘어났다. 냉장고 문은 아이들의 '캐비넷'이 되었다.

교육 기간 마지막 날에는 학생들이 만든 콘텐츠에 대해 학생들 스스로 GV(Guest Visit) 관객과의 대화를 하기도 했다. 주전부리는 피자와 치킨이 주를 이뤘고, 물론 뒤처리는 후배 카메라 감독의 몫이었다.

지금도 가끔 연락이 오는 녀석이 있다. 유명 감독이 되어서,

"쌤, 술 사드릴게요."

하는 녀석도 있었고...

2023년.
색다른 여름에서 겨울은 그렇게 마무리되었다.

엄마는 아직도 청량리 시장에 자주 가신다. 지하철 역사 내 작은 도서관에서 책을 주문하고, 등에는 커다란 백팩을 메고 그날 의상에 맞는 모자로 깔맞춤을 한다. 집으로 돌아오는 길엔 항상, 가방에 미처 들어가지 못한 커다란 비닐봉지가 덩달아 따라왔다.

삶의 무게가 버거울 텐데, 오히려 가방의 무게가 몸의 밸런스를 잡아주어 편하다고 하는 엄마.

'엄마 밥값을 갚아야 하는데..

엄마 시간을 비싸게 팔아줘야 하는데..

이미 세 번의 기회를 잡지 못했는데...'

10여 년 전쯤 아마추어 모델의 프로필 상태명이 나와 같았던 친구가 있었다. '우주정복'이라는 텍스트였는데, 아직까지 깜냥 안 되는 '완장'꾼들이 지구에 있는 걸 보니, 그 친구 꿈도 나가리인 것 같다.

2024년 1월.

그날 전화만큼은 보이스피싱이길 바랐다. 누구나 살면서 겪어야 할 일이겠지만, 그렇게 경험하고 싶진 않았다.

여느 날과 똑같은 시간이었다. 입찰문서를 정리하고 있었고, 소소한 아이디어가 오고 가는, 정말 평소와 똑같은 시간이었는데...

... 아버지가 돌아가셨다.

새해 첫날, 안부 인사 전화를 드릴 때만 해도 아무런 전조 증상이 없었는데...

부자(父子) 간의 전화는 특별할 게 없다. 대충 통화 시간을 어림잡아도 1분이 넘지 않고, 매번 같은 내용이다.

"밥은 먹었냐?"
"엄마 건강은 어떠냐?"
"형은 집에 잘 오냐?"

"예."

"그래, 그럼 됐다. 드가라."

평소와 전혀 다를 바 없는 무의미한 대화가 그날로 마지막이었다. 광고주 전화는 밤새 가릴 것 없이 한 시간이고 두 시간이고 그렇게도 잘 받고 통화도 길게 하던 새끼가 날 낳아주고 길러주신 아버지와의 통화는 고작 1분도 안했던... 내가 한심하다.

임종(臨終)을 아무도 지키지 못했다.
가족은 서로 지켜줘야 하는데...

엄마는 생활력이 굉장히 강하신 분인데, 우리 삼남매를 데리고,

강원도에서 대전으로 이사를 하셨다.

내 기억 속 강원도는 여름 방학이자 겨울 방학이다. 방학이 되면 엄마는 잠에 취해 투정을 부리는 연년생 남매를 깨워 들처업고, 대전역으로 가서 각기 우동을 한 그릇씩 사주셨다. 그걸 먹고 기차에서 한숨 푹 자고 일어나면 강원도에 도착해 있었다. 그리고 거기에 아버지가 계셨다.

초등학교 시절 우리 반은 석탄을 땠던 걸로 기억한다. 아버지는 평생을 '광산업'에 종사하셨다. 소싯적엔 나름 마을 유지 비스무리하게 지내셨다고 하신다.

어린 시절 아버지의 부재(不在)가 큰 문제는 아니었다. 누구나 다 그렇게 사는 줄 알았고, '밥 잘 사주는 누나'는 없지만, 미술숙제, 만들기 숙제, 또 수제비도 맛있게 끓여주는 형이 있고, 공부가 왜 재미있는지 모르겠지만 한 살 터울 여동생도 있고, 가끔 바둑이 한 마리도 있었고, 우리 집 대장, 키 크고 예쁜 엄마도 있었기 때문이다. 물론 골목대장을 따라다니던 또래 친구들도...

담당 형사의 전화를 처음 받았을 땐 덤덤했다. 머릿속으로는 보이스피싱이길 바라면서, 다른 한편으로는 짜증이 밀려왔다. 아직 준비가 된 게 없는데, 조금만 더하면 될 거 같은데, 이번에도 세상이 나와는 아무런 '상의도 없이' 결정하는 못된 버릇이 원망스러웠다.

아버지와는 그 어떤 '약속대련'도 못한 나는 진짜, 재수 없고 무능력한 새끼다. 쌀벌레, 이 표현이 가장 적당한 것 같다.

강원도 가는 길.

잠투정을 부릴 나이도 아니고, 기차 안도 아니지만, 서너 시간, 한 차에서 엄마와 같이 오랜 시간 있어 본 건 처음이었던 것 같다. 지금 엄마는 무슨 생각을 하고 있을까?

"엄마, 괜찮어?"

"괜찮아."

"영정 사진은 아버지가 종로에서 그린 걸로 하자."

"니네 아빠가 나 죽으면 내 영정사진으로 쓰라고
비싼 돈 주고 그려온 그 그림 말고, 잘 나온 사진으로 해라.
요새 사진이 얼마나 좋은데, 영감탱이가 촌스럽게..."

정선경찰서에 도착했다. 보이스피싱이길 바랐던 형사의 목소리는 담당 형사의 목소리와 같았다. 한두 시간쯤 조서를 꾸미고, 아버지 유품을 받았다. 마지막 가시는 길을 담당 형사가 보여준 사진으로만 봤다. 평소 주무시던 모습 그대로 아주 편안히 두 손을 뺨 옆에 대고 주무시는 모습이었다.

담당 형사에게 그 사진을 받길 원했으나, 행정적인 이유로 반출은 안 된다고 했다. 그 사진을 나는 꼭 받고 싶었다.

20년 동안 촬영을 했는데, 우리 집엔 그 흔한 가족사진 하나 없다. 물론 기술이 좋아져서 합성을 할 수도 있겠지만, 지금에 와서야 그게 무슨 소용일까?

장례식장은 휑했다, 아니 오히려 아늑했다고 해야 할까? 옆의 빈소에도 사람들은 없었다. 장소만 바뀌면, 사랑하는 연인이 프러포즈라도 하려는 듯, 극장 전체를 대관한 것 같은 느낌이었다. 장소만 바뀌었으면 말이다.

강원도 촌구석 휑한 장례식장은 오롯이 우리 가족들만을 위한 공간 같았다. 입찰을 준비하던 선배의 말이 위로가 됐다.

"아버지가 마지막 가시는 길에,
그래도 가족들 다 같이 한 번 모이게 하신 거 같다."

상복으로 갈아입고, 상제 완장을 차고 입관식을 치르는데, 나도 완장을 차긴 찼는데, 또 언젠가 완장을 찰 텐데, 흰색 바탕에 검은색 줄 완장이 너무 싫었다.

왈칵 눈물이 났다. 처음이었다. 가족 앞에서, 차가운 냉동고 앞에 누워 계시는 아버지 앞에서 울어 본 게.

다 죽이고 싶었다. 다 복수하고 싶었다. 우리의 시간을 허투루 쓰게 만든 모든 것들에 대해 복수하고 싶었다. 그 순간만큼은 나는 삼류 양아치였다.

기분이 태도가 되고 싶었고, 그렇게 하고 싶었다. 며칠 동안 퉁퉁 부어 있던 오른손이 부끄러웠다. 부러졌어야 했는데, 더 세게 쳤어야 했는데...

장례 기간 동안의 일은 뜨문뜨문 기억난다. 사족 보행이 기본었고, 곡(哭)소리보다는 헛구역질 소리가 더 먼저였지만, 그래도 내가 기억해야 할 사람들이 왔다.

대전 촌놈 한강 구경시켜 주려 했던 고등학교 동창은 해경(해양경찰)이 되어, 무릎 인대 수술까지 했으면서 군산에서 정선까지, 그 먼 거리를 운전하면서 왔다. 입찰을 같이 준비하던 다른 선배형은 꼭두새벽 제일 일찍 나를 찾았고, 화장터까지 자리를 같이해 준 두 친구가 기억난다. 기억하고 꼭 사람의 도리로 마음 갚아야 할 사람들이다.

술 취해 뻗은 동생 손을 악수가 아니라 꼭 잡아주던 형도...

만남이 있고, 이별이 있는 장소, 공항과 장례식장. 어울리지 않는 두 장소의 나름 공통점이다. 아버지와의 시절 인연은 그렇게 끝났고, 한쪽 천륜이 끊어졌다.

날이 참 좋았다.

보통 촬영을 하게 되면 가장 먼저 챙겨 보는 게 날씨인데, 하루에도 몇 번씩 변덕을 부리는 게 날씨인데, 언제 눈이 와도 기온이 영하로 떨어져도 이상할 것 하나 없는, 1월의 강원도 정선...

헌데 이상하리만치 날이 좋았다. 햇살은 적당히 빛났고, 바람도 불지 않았으며, 선산이 있는 안동으로 가는 내내 날이 참 좋았다. 아버지의 마지막 선물이었을까?

남아있는 사람들은 먼저 떠나간 사람의 흔적을 마주하게 된다. '행정'적일 수도 있고, '사적'일 수도 있다. 형은 아버지 부고(訃告)를 지역 신문에 냈고, 아버지 휴대전화의 메시지들을 확인했다.

김치냉장고를 최근에 할부로 사셨고, 지역복지센터 담당자와 스케줄을 조율하는 메시지가 보였다.

얼마 동안은 가끔 뜬금없이 울컥하기도 했다. 그 울컥하는 마음을 다잡을 수 있었던 건, 아버지가 아버지의 아버지, 아버지의 어머니를 만나고 있다는 생각 덕분이었다.

아침마다 아버지 영정 사진 앞에 커피 한 잔, 담배 한 개비를 올려 두며, 내가 할 수 있는 최선의 인사를 한다.

"아버지라고 부를 나이가 한참이나 지났는데,
한 번도 못 불러 봤습니다.
아빠, 라고 부르는 게 더 좋아서 그랬습니다."

아직까지 꿈에서도 못 만나 봤다. 역시 꿈은 이루어지지 않는 거 같다.

우리 아빠는 '나비'가 되었을까?

어린 시절부터 지금까지 삶을 돌이켜 보면 특별히 달라진 건 없는데, 나는 거짓말을 상당히 잘하게 됐다. 좀 더 명확히 표현하면 공수표(실행 없는 약속)를 잘 날리게 됐다. 거짓말, 사기의 대상은 엄마다.

"이번엔 진짜, 잘될 거 같아. 진짜 해준다고 했어.
그래서 진행비가 좀 필요한데....."

같은 패턴의 사기에 엄마는 알면서도 당해 주는 건지, 진짜 한 번 믿어보는 건지 모르겠지만 그 사기는 지금까지 그럭저럭 통했다.

사기 장소는 집에서 십 킬로미터 정도 떨어진 카페였다. 주문은 엄마 카드로 했고, 적립 역시 엄마 카드로 했다. 집에서 먹던 아이스 아메리카노와는 확실히 맛이 달랐다.

제일 맛있는 건 남이 해주는 음식이라 했는데, 그래서 그런지 커피 두 잔에 14,000원 값을 지불하고 한 시간 정도 그 공간의 시간을 렌탈한다. 이런 공공재(公共財)의 시간은 언제나 환영이다.

일장연설 사기 행각이 끝나면 이런저런 정치꾼 얘기에 열을 냈다가 커피 마시는 엄마 모습을 사진으로 담으며 가족 단체 톡 방에 공유를 한다.

그렇게 콧바람을 쐬고, 돌아와 노트북을 열면, 지금 작업 중인 직립보행人 문서가 바탕화면에 보인다. 이 잘난 반성문을 쓰는데 대략 1년의 시간이 걸렸다. 낚시를 하지도 않는데, '강태공의 곧은 낚시'를 하며 말이다.

요즘도 가끔 형은 내게 용돈을 준다. 직접 주기도 하고 계좌로 송금을 해주기도 한다.

나는 행복한 사람일까?

100원, 200원을 아끼려 엄마는 지금도 무거운 가방을 메고 시장을 다니신다. 무게 균형이 맞는다는 이유로...
나는 행복한 사람일까?

수년 만에 대학 동창 친구에게 늦은 밤 전화가 왔다. 가족과 주말부부로 지낸 지 10년이 넘었다고 한다. 그냥 기분이 울적해서 전화를 했다고 한다. 나는 대뜸 물어봤다.

"연봉은 얼마나 되냐, 한 오천 되냐?"

"그거 보단 더 벌지.. 경력이 있는데..."

"그래, 그럼 술은 니가 사라, 내일 가마."

최고급 한우에 육사시미는 눈에 들어오지도 않았다.

수년 만에 찾아오는 친구를 위해 현관문 비밀번호를 당연한 듯 알려주는 친구가 좋았고, 그 친구 자취방에서 생라면에 마시는 소주가 더 맛있었고, 편의점에서 사준 담배 한 보루가 더 고마웠다.

이제 낚싯대를 접어야 한다.

지금이 그 타이밍이다. 아버지의 낚싯대와 나의 낚싯대는 잘못 던져졌기 때문이다. 그걸 너무 늦게 알아 버린 게, 참 나답다.

우리 삼남매 중 내가 제일 아버지를 많이 닮았다고 한다. 게으르고, 욕심 없고, 밖에서는 호인(好人)이고, 남들한테 싫은 소리 안 하고, 전형적인 양반(兩班).

올해 22대 국회의원 선거 영상도 만들었다. 결과 역시 당연히 좋았다. 드라마틱한 반전은 아직 없지만, 그게 별로 새롭지도 않다.

작년에 했던 미디어리터러시 교육 의뢰가 다시 들어왔다. 그걸 다시 함으로써 반 년(半年) 간은 허우적거리지 않을 수 있겠지만,

이제 버티기가 힘들다.

수영도 할 줄 모르는 내가 망망대해(茫茫大海)에서 참 오래 버텼다. 바른 직립보행을 하기도 벅찬 내가 바다에서 놀았으니, 이제 그만 낚싯대를 접어야 한다.

나는 낚싯대를 잘 못 던졌고, 더 이상 이런 식의 반성문은 쓰고 싶지 않다.

에필로그

종교가 없으니 고해 성사는 아니고, 잊으려고 쓰는 것이니 비망록(備忘錄)도 아니고, 자신의 경험담을 특별한 형식 없이 기재를 했으니 회고록(回顧録)이나 자서전(自敍傳)으로 생각할 수 있겠지만, 대단한 전기(傳記)도 아니니, 이 글은 철저히 반성문(反省文)이 맞다.

누구를 비난하거나 힐난(詰難)하려 쓴 글이 아니다. 청춘이 영원할 것이라 믿었던, 의리와 낭만을 생각하던 시간을 허투루 보낸 무지몽매(無知蒙昧)한 '뚜벅이'의 푸념이 담긴 글이다.

산수를 알고 국어를 제대로 알았다면, 분수를 알고 주제를 알았다면, 반성문의 내용이 조금은 달라졌을 거라 확신한다.

만약 지금의 나에게 공익광고 제작 의뢰가 들어온다면 연출자로서 나는 단 한 가지의 조건만 걸고 싶다.

"이 캠페인은 당신을 응원합니다"

가 아니라

"버틸 수 있으면 버틸 수 있는 데까지 버텨 봅시다.
세상은 당신과 어차피 상의하지 않습니다."

라고 바꾸고 싶다.

혹시 영상을 하고 싶다고?

꿈이 어쩌고, 관심이 어쩌고, 그런 허튼소리 다 집어치우고

"집에 돈이 있으면 한번 해봐라."
"적당히 해라."
"짧게 맛만 봐라."

"당신이 다 할 줄 아는 것처럼 어디 가서 떠들고
놀 수 있을 만큼만 해라."

"돈 받는 만큼만 해라."

"요새 언론에서 떠들어 대는 MZ 특유의 개념을 보여줘라."

혹시, 위에 기재된 내용이 띠꺼우면, 아직 진정성을 이야기하고 싶으면

"죽기 살기로 해라."

몇몇 빼고 우리는 성웅 이순신의 후예니까 말이다.

만약 현시점에서 누군가 나와 같은 삶을 살고 있다면, 당장 낚싯대를 걷어차고 나와라. 할 일 없으면 팔굽혀 펴기라도 하는 게 더 나을 수도 있다.

이 잘난 반성문을 쓰는 데 하루 커피는 예닐곱 잔을 마셨고, 담배 한 보루는 일주일을 못 버텼다. 집에서 그나마 가까운 편의점은 자정이면 문을 닫는데, 담배 사기 귀찮은 날은 검은색 비닐봉지에 담긴 꽁초를 피웠다. 장초(長草)라도 발견하면 말 그대로 '유레카'다

창작의 고통으로 커피와 담배가 는 것이 아니다. 창작의 고통은 개미 오줌만큼도 없다. 오히려 어떻게 '순화'시키고, '희화'시킬까 고민을 했다. 나의 개인적인 경험이 영상업계 전체의 전제(前提)가 되어서는 안 되니까 말이다.

내 반성문의 초반 제목은 '슬픔의 정석'이었다. 얼핏 들으면 영어, 수학 문제집 같은 제목이면서 뭔가 그럴싸한 발라드 노래 제목 같기도 하다. 우리가 살면서 경험하게 되는 다양한 경험을 이분법적으로 표현할 순 없겠지만 기쁨의 정석은 대충 상상이 가능한데, 슬픔의 정석은 그 깊이가 가늠이 되질 않았다.

적어도 걸어 다니는 사람은 많으니 그냥 '직립보행人'으로 책 제목을 정했고, 각 챕터 제목은 한때 내 SNS 메시지 프로필명이었다.

인생 이모작 준비를 해야 할 나이가 됐다. 투잡, 쓰리잡 뭐든 미리 준비를 해야 한다. 능력이 있고, 재능이 흘러 넘어 사회에 기부하기 위해하는 게 아니다. 미래가 불안하고 언제 어떻게 될지 몰라 무섭기 때문이다.

연봉 오천이 훨씬 넘는, 기러기 생활을 10년째 하고 있는 친구는 타일공 준비를 한다고 한다. 학교 다닐 때 성적이 가장 좋고, 자격증도 또래 친구들에 비해 많았던 친구는 지금 농사를 짓고 있다. 나는 바리스타 준비가 그나마 어울릴 것 같다. 그다음은 순리대로, 지게차, 조경설계 등등이 되지 않을까?

1인치의 장벽을 넘기 위해, 직원들 시간을 책임지기 위해 선배형은 오늘도 밤을 새울 것이다. 거창하게 민중봉기(民衆蜂起)까지는 아니지만, 그 1인치의 장벽을 세로로 돌려 세우면 오히려 자기

자신들의 운신의 폭이 좁아진다는 걸 '완장 찬 직립보행人' 들은 왜 모를까?

하긴, 닭도 직립보행을 하긴 한다.

추석 전까지 반성문이 마무리되면 반성문 한 권 챙겨, 아버지를 만나 뵈러 가야겠다.

어제까지의 시간을 바꿀 순 없지만, 내일의 시간이 건강하게 바뀌길 바라며...

니체가 말하길,

"글은 독자만을 생각해서 써서는 안 된다.
피로써 써야 한다."

고 했다. 니체가 암행어사 '마패'는 아니지만 웬만큼 닉 값은 되니, 얼추 니체의 말을 믿어보자.

'직립보행人' 은 추천 도서가 될 리 만무하지만, 그렇다고 불온서적도 아니다. 대중만을 위해 쓴 글도 아니고 더욱이 피로써 쓴 글도 아니다.

나는 사상가도 아니고, 철학가도 아니다. 아직까지는 현역이지만 언제 꺾여도 이상할 것 없는 흔하디흔한 소시민 방안퉁수다.게으름이 진득함으로 적당하게 포장된 삶을 살아온, 아직도 용돈을 받아쓰는 '천운'이 좋은 사람이다.

나는 진짜 운이 좋은 사람이다.

책 두께는 프롤로그에 기재 한 것처럼 두껍지 않게 마무리했다. 사실 더 이상의 내용을 '왜곡' 시킬 수도 없다.

시간의 소중함을 이해했는지는 모르겠다. 반성문은 길게 쓰는 게 좋은 건지, 짧게 쓰는 게 좋은 건지도 모르겠다. 믿기지 않겠지만 초등학교부터 지금까지 그 흔한 반성문, 시말서 한 번 써본 적이 없다. 반성할 일을 하지 않았기에 그러했고 나름 도덕, 사회 점수는 꽤 좋았다.

라면 받침으로 사용하기에는 두께가 조금 아쉽지만, 요즘 캠핑을 많이 다니는 사람들에게 급할 때 불쏘시개로 사용되기에는 괜찮은 분량의 두께인 것 같다.

마지막으로 누군가는 수미상관(首尾相關) 구조를 좋아하니 이 반성문도 그 구조를 흉내 내면서 마무리하려 한다.

홍대, 합정으로 내 목마름을 채워줄 형을 보러 가야겠다. 남자 둘이 커피는 사치고 소주 한잔해야겠다.

ps...
피아노가 있는 장례식장은 드물 거라 생각이 든다. 혹시 내가 죽으면 우리 조카 두 놈이 기타치고 웃으며 삼촌을 기억해 줬으면 좋겠다.
참고로 필명(筆名) '여량'은 아무 의미 없다. 단지 내가 태어나고, 아버지가 돌아가신 곳이라는 것 외에는.

-끝-